MW00617371

Preso pero libre

Preso pero libre

Leopoldo López

Notas desde Ramo Verde

Prólogo de Felipe González

editorial
Libros ✕ **marcados**

© Leopoldo López Mendoza, 2016

Queda rigurosamente prohibida sin autorización por escrito
del editor cualquier forma de reproducción, distribución, comunicación pública
o transformación de esta obra, que será sometida a las sanciones establecidas por la ley.
Todos los derechos reservados.

Primera edición: febrero de 2016

© de las ilustraciones de interior, Leopoldo López Mendoza

Las imágenes de los pliegos, excepto aquellas en las que figura el crédito
correspondiente, pertenecen al archivo personal de la familia del autor.

El editor quiere agradecer las autorizaciones recibidas para reproducir imágenes
protegidas en este libro. Se han realizado todos los esfuerzos para contactar con
los propietarios de los *copyrights*. Con todo, si no se ha conseguido la
autorización o el crédito correcto, el editor ruega que le sea comunicado.

Editorial Libros Marcados

depósito legal: B-308-2016
isbn: 978-84-9942-484-42

A las víctimas de la violencia, de la persecución y represión
A los presos políticos, presos de conciencia
A los exiliados
A quienes piensan distinto
A quienes luchan a diario por una mejor Venezuela

ÍNDICE

Presentación: Preso pero Libre
por Mario Vargas Llosa   11

Prólogo: Leopoldo López, rehén de la República,
por Felipe González   17

1. Doy la cara y me presento ante una justicia injusta 23
2. Contra la desesperanza, volver a escribir   47
3. Ramo Verde: la prisión que fue una escuela   59
4. Mi celda y la libertad del alma   81
5. La libertad: ni con un candado de un kilo   95
6. Fe, libros y boxeo   101
7. Los riesgos de luchar por la libertad   117
8. La Navidad, un bautizo y la desigualdad   153
9. La soberbia y el soplete   165
10. Aprendizaje y comprensión del componente militar 191
11. La huelga de hambre   201
12. Los túneles oscuros de la injusticia   225
13. El juicio: «Yo no estoy sometido a juicio,
    estoy secuestrado»   243

Epílogo de Daniel Ceballos   259

Agradecimientos   267

Cronología   269

PRESO PERO LIBRE

por Mario Vargas Llosa

Que este libro de Leopoldo López, Preso pero libre. Notas desde la cárcel del líder venezolano (Península, 2016), que lleva un excelente prólogo de Felipe González, haya podido ser escrito es una especie de milagro. Encarcelado en la prisión militar de Ramo Verde desde febrero de 2014 y condenado a 13 años y 9 meses de prisión en una caricatura de juicio que ha sido el hazmerreír del mundo entero, su autor es el preso político más conocido internacionalmente, un símbolo de los atropellos e injusticias que cometen las dictaduras contra quienes osan desafiarlas.

López fue acusado por la dictadura chavista de "incitación al crimen" por los muertos que causaron las grandes movilizaciones estudiantiles de hace dos años en distintas ciudades de Venezuela. Yo estuve en Caracas por esos días y vi con mis propios ojos la naturaleza pacífica de aquellas protestas y la brutalidad con que Nicolás Maduro las hizo reprimir por la policía política y las bandas de rufianes armados que utiliza para intimidar, golpear y a veces asesinar a sus opositores. Leopoldo López se entregó voluntariamente a la justicia, sabiendo que esta dejó de existir en su desdichado país desde que el comandante Chávez y compañía acabaron con la democracia e instauraron en su reemplazo "el socialismo del siglo XXI", que ha convertido a Venezuela en el país de más alta inflación y criminalidad en el mundo. O, como dice Felipe González, en un "Estado fallido".

La vida que desde entonces lleva en la prisión y que está bien documentada en este libro es de abusos y agravios sistemáticos, encerrado en un calabozo solitario, que tiene 10 rejas con candado y cuatro cámaras de televisión que vigilan sus movimientos las 24 horas del día y aparatos de grabación múltiples que quieren también registrar todo lo que dice o murmura. A esto se añaden constantes requisas, de día o de noche, para despojarlo de papeles, libros, o robarle las prendas personales. Uno de los directores de la prisión de Ramo Verde, el coronel Miranda, un sádico, hacía, además, que sus esbirros le vaciaran encima de improviso bolsas llenas de excremento. Y es sabido, que entre otras indecibles

vejaciones que debían soportar los contados familiares que pueden visitarlo una vez por semana —entre
ellas su madre y su esposa— figuraba la de tener que
desnudarse ante los carceleros.

Pese a todo ello, como muestra de la audacia in-
ventiva del espíritu humano capaz de sobrevivir a
todas las pruebas, López ha podido escribir y sacar
de la cárcel este testimonio conmovedor. En su libro no hay una pizca de rencor ni de odio contra sus
verdugos y quienes están destruyendo a Venezuela cegados por el fanatismo colectivista y estatista.
Por el contrario, un optimismo sereno recorre sus
páginas, la convicción de que pese al empobreci-
miento atroz al que han llevado al país las políticas
antehistóricas de nacionalizaciones, expropiaciones
y agigantamiento enloquecido del aparato estatal
así como la asfixiante paralización de una administración controlada por comisarios políticos, hay en
Venezuela suficientes recursos naturales y humanos
para levantar cabeza y prosperar, una vez que la democracia sustituya a la dictadura y retorne la libertad conculcada.

Leopoldo López es un idealista y un pacifista
convencido. Sus modelos son Gandhi, Mandela,
Martin Luther King, Vaclav Havel, la madre Teresa de Calcuta y, como convencido creyente que es,
Cristo. En su libro hace un gran elogio de Rómulo Betancourt, el líder de Acción Democrática que
se enfrentó primero al generalísimo Trujillo (quien

intentó hacerlo matar) y a todos los tiranuelos militares de América Latina y luego a Fidel Castro, sin complejo alguno, en nombre de una democracia liberal que trajo a su país 40 años de legalidad y de paz. Yo recuerdo el odio que teníamos a Betancourt los jóvenes de mi generación cuando creíamos que la verdadera libertad estaba en Marx, Mao y en la punta del fusil. Vaya insensatos y ciegos que fuimos. El que veía claro, en esos años difíciles, fue Rómulo Betancourt y es muy justo que Leopoldo López le rinda el homenaje que se merece aquel lúcido demócrata que salió de la presidencia de Venezuela más pobre de lo que entró (lástima que no fuera el caso de todos los mandatarios en esas cuatro décadas de libertad).

No hay que confundir el patriotismo con el patrioterismo, que está hecho de palabrería un tanto ridícula y de gestos y desplantes algo payasos a los que de costumbre no acompañan la convicción ni la conducta. López es un patriota de verdad: quiere a su país y, entre barrotes, recuerda con nostalgia su geografía, las montañas que le gustaba escalar en solitario para meditar y respirar puro, a los pájaros y a los árboles de sus bosques, y a las pequeñas aldeas entrañables que recorrió en sus giras políticas. Sabe la extraordinaria labor que lleva a cabo Lilian Tintori, su mujer, un ama de casa y madre de familia a quien Chávez y Maduro han convertido en una fogosa lideresa política, como a tantas madres, esposas y hermanas de los 87 presos políticos que hay en Venezuela y que luchan de manera gallarda porque se les devuelva la libertad.

Leopoldo López sabe que el pueblo venezolano no se ha dejado sobornar por la demagogia del poder chavista y que cada día que pasa, la corrupción de los hombres que gobiernan, vinculados a las mafias del narcotráfico y a las pandillas de delincuentes a los que venden armas, y los anaqueles vacíos de los almacenes, el racionamiento, los cortes de luz, los atracos, secuestros y crímenes, van empujando a las filas de la oposición, esa que en las últimas elecciones, a pesar de los fraudes, ganó el 70% de los escaños de la Asamblea Nacional. Pero, pese a ello, sabe también que la liberación de Venezuela no será fácil, pues aquella argolla de malandros encaramados en el poder no lo soltarán fácilmente, entre otras cosas, porque temen que el pueblo venezolano les pida cuentas por haber convertido al país potencialmente más rico de América Latina en el más pobre en apenas un puñado de años.

Una fiera herida es más peligrosa que una sana y suele vender cara su vida. El Gobierno de Nicolás Maduro está cada día más débil y sabe que tiene los días, o los meses, pero seguramente ya no los años, contados. Y no es imposible que decida, si ve llegada su hora, vengarse por adelantado de quienes tienen por delante la ímproba tarea de resucitar al país que han dejado en ruinas. Si es así, las vícti-

mas más a su alcance son esos 87 presos políticos
que, como Leopoldo López, están a su merced en
las mazmorras chavistas. Por eso es indispensable
que la movilización que ha convertido a Leopoldo
López en una figura internacional no cese y, más
bien, se extienda, a fin de proteger a todas las demás
víctimas de la dictadura venezolana, empezando por
Antonio Ledezma, el alcalde de Caracas, muy delicado de salud, y los civiles, militares, estudiantes,
obreros y profesionales que están presos por haberse enfrentado al régimen. Ahora que están cerca de
la libertad, su vida peligra más que nunca. Es deber
de todos quienes queremos que Venezuela vuelva
a ser libre, mantener la presión para mantenerlos
vivos y salvos.

LEOPOLDO LÓPEZ, REHÉN DE LA REPÚBLICA

por Felipe González

Leopoldo López es un rehén político del tándem Nicolás Maduro-Diosdado Cabello, los dos máximos responsables de la revolución bolivariana que ha llevado a Venezuela a una situación económica, social y política tan desastrosa que podemos considerar a este gran país como un Estado fallido.

Y, además, tendríamos que decir que Leopoldo simboliza la situación en la que están miles de venezolanos, setenta y cinco de ellos presos políticos del régimen y otros muchos represaliados, coartados en sus libertades de expresión o de manifestación, cuando no exiliados y huyendo de la persecución.

El libro que tienen en sus manos es un relato de la vivencia en la cárcel de Ramo Verde de Leopoldo

López desde el 18 de febrero de 2014 hasta hoy, 14 de enero de 2016, fecha en la que escribo este prólogo. Lo recuerdo con la esperanza de que cuando el lector lo tenga en las manos se haya conseguido la libertad de Leopoldo, de Daniel Ceballos, de Antonio Ledezma, de Raúl Baduel y de tantos otros que soportan esta situación intolerable para cualquier Estado democrático o simplemente respetuoso de los derechos humanos.

Además de un relato de esa vivencia en la cárcel, el libro contiene una reflexión intimista sobre sus creencias más profundas, incluida su religiosidad, sus sentimientos hacia la familia y los amigos, y sus referencias o modelos internacionales, como Mandela o Gandhi, o nacionales, como Rómulo Betancourt. También nos lleva a una exposición de lo que podríamos llamar su ideario político y programático para Venezuela.

Sé, y el lector lo podrá observar, que al libro le falta la continuidad que suele tener una obra que puede escribirse con tranquilidad y sin estar sometido a las acciones incomprensibles de sus carceleros. Como leerán ustedes mismos, sus custodios y los servicios de inteligencia se incautaron de los cuadernos que había escrito, como de tantas otras cosas. Por eso ha tenido que sortear multitud de obstáculos para hacer llegar por trozos, que a veces se reiteran, sus impresiones desde la cárcel de Ramo Verde o desde las distintas sesiones de esa farsa judicial que lo ha llevado a una condena de casi catorce años.

En el texto verán cómo se producen los acontecimientos del 12 de febrero y días subsiguientes, y cómo el régimen trata de cargar la responsabilidad de la violencia, y de las muertes que produjeron sus fuerzas de seguridad y los llamados «colectivos», sobre Leopoldo López y sus compañeros en el procesamiento. Pese a que han sido identificados algunos de los responsables directos de los homicidios, hasta el día de hoy siguen impunes, mientras que Leopoldo López y los demás convocantes de una manifestación pacífica y democráticamente justa sufren condena.

Leopoldo López decidió entregarse después de estar varios días oculto. Diosdado Cabello le ofreció a la familia que se exiliara o, alternativamente, que se refugiara en una embajada extranjera. Grave y difícil situación para la familia, que tuvo que oír, además, la repetida cantinela de que la propia oposición quería atentar contra su líder.

Él decidió que no se iría de Venezuela, que no pediría asilo en una embajada y que entre estas opciones o llevar una vida clandestina sumamente difícil, prefería entregarse a lo que llama una «justicia injusta».

Cuando he oído a Maduro y Cabello afirmar, a través de los medios de comunicación que controlan a su antojo, que ellos evitaron que asesinaran a Leopoldo López, he pensado que, si fuera verdad, ambos responsables del Estado venezolano tenían la obligación de dar cuenta de quiénes eran los individuos que intentaban asesinar a Leopoldo López, de ante qué tribunal de justicia han llevado a los autores de la conspiración y de cuál es su situación actual. Si no lo han hecho ni lo hacen se convierten en cómplices por omitir su deber, no solo como responsables del Estado sino como simples ciudadanos.

Y si no responden a este cuestionamiento, porque es uno de los inventos cargados de malicia con los que aturden a la opinión pública venezolana, son responsables de mentir y manipular, y, por tanto, indignos de la representación que ostentan.

Mi relación con Leopoldo López es paradójica. Lo vi por primera vez bastante tiempo antes de los dramáticos acontecimientos con los que arranca este libro, pero empecé a conocer, más su personalidad que su persona, cuando decidí asumir el apoyo externo tanto de su defensa como de la de Antonio Ledezma. Más allá de la anécdota interesante de que me llegaron dos cartas manuscritas desde la prisión de Ramo Verde que hasta hoy he dudado en hacer públicas con la correspondiente respuesta, este conocimiento de su personalidad se explica a través de la relación con su esposa, Lilian; con su madre, Antonieta; con su abogado, Juan Carlos Gutiérrez, y con otras personas próximas. Lo mismo me ocurre con Daniel Ceballos, al que conozco a través de Patricia, su esposa. Y aunque no es idéntico el caso, porque conocí a Antonio Ledezma y he podido hablar con él en su casa, donde permanece bajo arresto domiciliario, también me aproximaron mucho a su personalidad su mujer, Mitzy Capriles, y sus hijas.

Por eso el contenido del libro que tienen en las manos, tanto como relato de los acontecimientos diarios en la cárcel y de un procedimiento judicial no solo injusto —por acusarlo de delitos que no cometió—, sino completamente nulo —por incumplir todos los requisitos de cualquier Estado democrático en su derecho a la defensa—, como por sus ideas, no es una sorpresa para mí. Algún detalle me resulta nuevo o no conocido, pero todo lo esencial lo he seguido casi día a día.

Cuando se me vino encima toda la propaganda falsaria del régimen, con la ayuda de los que Cabello llama «patriotas españoles que nos informan», más allá de descalificaciones e insultos, me reprochaban que defendiera a derechistas, incluso a terroristas. Desde el primer día afirmé mi determinación de defender valores democráticos y a personas perseguidas políticamente por sus ideas, sin entrar en consideraciones ideológicas o de otra naturaleza. Hoy les puedo decir, sin que varíe mi determinación de defender la libertad y el derecho de los que no piensan como yo, que conocer a Leopoldo, a Ceballos o a Ledezma me da la libertad de afirmar que coincido mucho más con ellos en las ideas que con estos falsos revolucionarios que con lenguaje izquierdista destruyen a su país después de saquearlo.

Dicho lo anterior, cualquier lector que se asome a estas páginas de buena fe, sin prejuicios ni cegueras voluntarias, podrá deducir que la experiencia carcelaria de Leopoldo López no lo ha llevado al rencor contra sus represores. Verá que incluso en la dureza de sus expresiones mantiene una firme voluntad de reconciliación y de paz al servicio de todos los venezolanos. Como he seguido la evolución de los acontecimientos durante estos casi dos años de prisión, y el endurecimiento de sus condiciones carcelarias, les puedo decir que esas circunstancias no han doblegado su determinación ni su voluntad.

Esta pequeña obra es un juicio a este régimen injusto y decrépito. El verdadero juicio de un condenado por una «justicia injusta».

No importa si el lector coincide o no con las creencias profundas o con las ideas políticas de Leopoldo López: en lo que estará de acuerdo, contemplando la realidad de Venezuela, es en que tiene razón en su juicio al régimen.

Reitero mi deseo y mi esperanza de que cuando el lector abra estas páginas Leopoldo y todos los demás presos políticos puedan hacerlo desde la libertad que les arrebató una tiranía.

Madrid, 14 de enero de 2016

1

DOY LA CARA Y ME PRESENTO ANTE UNA JUSTICIA INJUSTA

Fui encerrado en la prisión militar de Ramo Verde, un penal enclavado a unos treinta kilómetros al suroeste de Caracas, el 18 de febrero de 2014 a las once y media de la noche. Ese día me había despertado a las tres de la madrugada, a las cuatro estaba en la maleta de un carro vía Caracas, pues mi aparición pública la tenía planeada para las once de la mañana, justo en medio de una concentración convocada por ese motivo en uno de los municipios del Distrito Metropolitano de la capital venezolana, el de Chacao, cuya alcaldía había ocupado años atrás. Llevaba en la clandestinidad desde el día 12 de febrero y el presidente Nicolás Maduro había anunciado el despliegue de todas las fuerzas públicas en búsqueda «del terrorista Leopoldo López». Me buscaban con afán, allanaron mi casa, la de mis padres, la sede del partido, Voluntad Popular, y, pistola en mano, detuvieron a varios compañeros que encontraron en ella.

Logré llegar a la concentración en moto. Fueron minutos tensos, tuve que pasar por un punto de control de la Guardia Nacional y pude hacerlo porque no me quité el casco integral. Al llegar hasta donde estaba la multitud, sabía que ya no me podrían detener y fue entonces cuando me quité el casco. Caminé hacia la plaza Brión. No había ninguna tarima ni sonido. Solo había gente, muchísima gente, mucha más de la que podía haberme imaginado, todos de blanco, en alusión a la paz, como habíamos sugerido en la convocatoria (hecha mediante un video grabado en mi corta clandestinidad). Esta se había llevado a cabo a través de las redes sociales, de manera artesanal. Nunca voy a olvidar la inmensa solidaridad y el cariño que me transmitió ese día el pueblo de Caracas, pueblo por el que, sin dudarlo ni un segundo, haría mil veces el mismo sacrificio.

Al llegar al final de la concentración, decidí subirme a la estatua de José Martí que, como recordatorio curioso, había sido remodelada durante mi gestión como alcalde de Chacao. Desde allí dije unas cortas palabras con la ayuda de un megáfono. Expliqué que me sometía a las autoridades del régimen porque no había cometido ningún delito y porque para mí no era una opción irme del país ni esconderme y jugar a la clandestinidad como seguramente quería el Gobierno. Estas fueron mis palabras, las transcribo porque son la mejor prueba de mi inocencia y porque creo de manera firme en su contenido:

Hoy en Venezuela estamos viviendo un momento oscuro, en donde los delincuentes son premiados por el Gobierno y a los venezolanos que queremos un cambio en paz, en democracia, con la Constitución, nos quieren encarcelar.

El día de hoy, me presento ante una justicia injusta, ante una justicia corrupta, ante una justicia que no juzga de acuerdo a la Constitución y a las leyes. Pero también el día de hoy presento ante ustedes, venezolanas y venezolanos, el más profundo compromiso: si mi encarcelamiento vale para el despertar de un pueblo, si vale para que Venezuela despierte definitivamente y que la mayoría de los venezolanos que queremos cambio, podamos construir ese cambio en paz y en democracia, pues bien valdrá la pena el encarcelamiento infame, que plantea directamente, con cobardía, Nicolás Maduro.

Pero yo no quiero, no quiero dar este paso quizá a un silencio por un tiempo, sin dejar claro el porqué de toda esta lucha. Esta lucha es por nuestros jóvenes. Esta lucha es por los estudiantes. Esta lucha es por los que han sido reprimidos. Esta lucha es por los que están encarcelados.

Esta lucha, hermanas y hermanos, es por todo el pueblo de Venezuela que hoy está sufriendo. Está sufriendo en colas, está sufriendo escasez. Por los jóvenes que no tienen empleo, que no tienen futuro por culpa de un modelo equivocado, por un modelo importado de otros países, que no se parece al bravo pueblo de Venezuela.

Nosotros juntos, hermanas y hermanos, tenemos que estar claros, tenemos que construir una salida a este desastre. Esa salida, hermanas y hermanos, tiene que ser pacífica, tiene que ser dentro de la Constitución, pero también tiene que ser en la calle porque ya no nos quedan en Venezuela los medios libres para poder expresarnos. ¡Si los medios callan que hable la calle, y que hable la calle con gente y que hable la calle en paz, y que hable la calle en democracia!

Hermanas y hermanos, yo les pido que sigamos en esta lucha, que no dejemos la calle, que asumamos nuestro derecho a la protesta pero que lo hagamos en paz, sin violencia. Yo pido que nosotros, que todos los que estamos acá, que todos los venezolanos que quieren cambio, que nos instruyamos, que nos formemos, que nos organicemos y que ejecutemos la protesta no violenta, la protesta de masas, de voluntades, de almas y de corazones que quieren cambiar, pero sin dañar al prójimo.

Yo les pido que no perdamos la fe. Y yo estoy seguro, en el nombre de mis hijos, de mi hija Manuela, de mi hijo Leopoldo —como decía Andrés Eloy Blanco,[1] el que es padre de un niño, es padre de todos los niños—, en nombre de todos los niños de Venezuela, yo les juro que vamos a vencer y que muy pronto tendremos una Venezuela libre y democrática.

¡Que Dios los bendiga!

Quise también asegurarme de que la situación no se desbordara en razón de mi decisión: «Les ruego que

1. Andrés Eloy Blanco (1896-1955), escritor, humorista y político venezolano, fue encarcelado por su actividad política (1928-1932) y, más tarde, llegó a ser ministro de Relaciones Exteriores (1948).

cuando me entregue se mantengan en paz. No queremos violencia». Soy inocente de los delitos de los que me acusan y asumí de manera franca la responsabilidad de haber convocado una protesta. Esa era y sigue siendo mi mayor fortaleza.

Para despedirme de los caraqueños, les dije de todo corazón un mensaje que he repetido siempre a todos los venezolanos en todos los rincones de la patria: «Les pido que no perdamos la fe». Eso es fundamental para mantener la resistencia a este Gobierno autoritario, la fe que los venezolanos debemos tener en nosotros mismos, en nuestra inagotable capacidad para salvar los obstáculos y continuar el camino de la democracia, la libertad y el bienestar.

Al concluir, ya en compañía de mi esposa, Lilian, y de líderes y activistas de distintos partidos, fui hasta la barricada detrás de la que se apostaba la Guardia Nacional Bolivariana (GNB). Allí estaba el comandante general de la GNB, el general Noguera, acompañado por el general de brigada de la GNB Benavides.[2] Ambos insistieron en que me pusiera un casco y un chaleco anti-

2. Justo Noguera Pietri, mayor general y comandante general de la GNB hasta julio de 2014; sancionado por el Gobierno estadounidense en marzo de 2015, Maduro lo nombró presidente de la Corporación Venezolana de Guayana (CVG). El general Antonio José Benavides Torres, otro de los militares sancionados por Estados Unidos y ascendido por Maduro, es comandante de la Región Estratégica de Defensa Integral (REDI) de la Región Central de la Fuerza Armada Nacional Bolivariana de Venezuela (FANB) y exdirector de Operaciones de la GNB.

balas —quizá buscando reforzar la especie, generada por el Gobierno, de que habría un atentado en mi contra, o para presentarme como un criminal—; obviamente tenía que negarme a hacerlo. Ellos me detuvieron formalmente y me metieron en una tanqueta de las desplegadas en el lugar. Había mucha gente, miles de personas. Pedimos apoyo y aplicamos la no violencia como principio. Pasaron tres horas entre un mar de gente hasta que pudimos salir en paz y sin agachar la cabeza.

Llegué a La Carlota, a la base aérea Francisco de Miranda, en el este del área metropolitana de Caracas, acompañado de mi familia y mi abogado, Juan Carlos Gutiérrez. A los pocos minutos llegó el capitán, Diosdado Cabello, presidente de la Asamblea Nacional.[3] Le pregunté inmediatamente que cómo era eso de que había un plan para matarme. Cabello me dijo que tenía pruebas y que había varias grabaciones. Hasta ahora nunca se han presentado porque seguramente no existen. Luego me dijo «Bueno, ¿qué hacemos?»; le contesté: «Cómo que qué hacemos, ustedes son los que me tienen preso». Abordamos tres helicópteros por orden de Cabello, y se dirigieron a Fuerte Tiuna, el mayor complejo militar de Caracas y del país. No había otra manera de salir. Todas las entradas de La Carlota

---

3.   Diosdado Cabello Rondón (1963), político, militar e ingeniero, participó junto al entonces teniente coronel Hugo Chávez en el intento de golpe de Estado de febrero de 1992. Tras el fracaso de la intentona, pasó a la reserva. Amparado siempre por Chávez, ha ocupado importantes cargos políticos y ministerios.

estaban tomadas por la gente, por el pueblo noble de Caracas que se manifestaba en contra de mi detención. Desde el helicóptero pude ver la inmensa cantidad de gente que había acudido a manifestarse, decenas, miles de caraqueños en las calles aledañas.

De Fuerte Tiuna fuimos en una caravana de vehículos hasta el Palacio de Justicia, en el centro de la capital. El vehículo donde me encontraba fue conducido por Cabello. Logramos conversar durante ese trayecto sobre la situación del país. Le dije que con los jóvenes detenidos en Táchira y Nueva Esparta se estaba cometiendo una tremenda injusticia y que debían ser liberados por ser inocentes;[4] confesó mucha preocupación por la situación económica del país y entre líneas hizo críticas duras a los que llamó «los genios que están manejando la economía, los que siempre tienen respuestas para todo, pero la situación sigue siendo crítica». Al llegar tuvimos que esperar pues no estaban listas las actas ni los papeles relacionados con mi caso. Pude presenciar cómo Cabello llamaba directamente a la presidenta del Tribunal Supremo de Justicia, Gladys María Gutiérrez Alvarado, y a la fiscal general Luisa Ortega Díaz para, más que preguntarles, reclamarles por qué no estaba listo el expediente de mi caso. Le pregunté qué pasaba y me contestó: «Es que no creían que te ibas a presentar y no tenían nada

4. Se refiere a la decena de estudiantes detenidos a principios de febrero de 2014 en las ciudades de San Cristóbal (estado Táchira) y Porlamar (estado Nueva Esparta) por protestar contra el Gobierno.

listo». Subimos al tribunal asignado y mientras lo hacíamos, me dijo: «Es la primera vez que piso este edificio». Pero no es la primera vez que llama a un magistrado, a la fiscal y a la presidenta del Tribunal Superior de Justicia (TSJ) para preguntarle cómo van las cosas, me dije.

Esperamos y, a las dos horas, tuvimos la audiencia donde la jueza 16 de Control, Ralenys Tovar Guillén, la misma que, en la noche del 12 de febrero, había dictado orden de captura contra mí por una larga lista de cargos: delitos de asociación, instigación a delinquir, delito de intimidación pública, incendio de edificio público, daños a la propiedad pública, lesiones graves, homicidio y terrorismo. La jueza me dictó medida privativa de libertad en la cárcel militar de Ramo Verde, situada en medio de una húmeda zona montañosa, cerca de la ciudad de Los Teques. La audiencia no concluyó y se pautó continuarla al día siguiente.

Del Palacio de Justicia a Ramo Verde me trajo también una caravana. En la camioneta donde venía estaba Diosdado, quien la conducía, el general Noguera y el general Hernández Dala.[5] La caravana era de unas diez camionetas y diez motos. Llegamos a las once de la noche de ese día 18. Al llegar nos recibieron, en for-

5.   Iván Rafael Hernández Dala, nombrado jefe de la Casa Militar en septiembre de 2015, era jefe de la Dirección de Inteligencia Militar (DIM), hoy Dirección General de la Contrainteligencia Militar (DGCIM), desde enero de 2014. Fue el responsable de la más violenta requisa sufrida por Leopoldo López en Ramo Verde.

mación, la oficialidad y los soldados que tienen a su cargo la custodia del penal, unos ciento veinte hombres en total. La presidía el coronel de la Guardia Nacional (GN) Humberto Calles.[6] Su saludo fue: «Chávez vive, la lucha sigue». Un saludo político que muestra el sometimiento de la Fuerza Armada a una parcialidad política partidista, en evidente violación de la Constitución. Saludo que se repite en todas las guarniciones, en cada formación y en cada oportunidad en que un militar se dirige a otro. No obstante, por lo visto durante estos meses en prisión, no es compartida por la gran mayoría uniformada.

Me llevaron a la entrada y de allí al anexo. Un edificio apartado en donde solo había una celda «normal», el resto eran las celdas de castigo o «tigritos», como se las llama en la jerga del penal. Subimos tres pisos, el pasillo era oscuro, las paredes estaban quemadas y había mucho polvo en el piso. Llegamos a mi celda, me entregaron una sábana, un jabón, pasta de dientes y un cepillo. «Hasta mañana. En la mañana tiene audiencia», me dijeron a manera de buenas noches. Se cerró la puerta, una reja de hierro pesada, con refuerzo de barrotes y una plancha con un pasador grueso de cabilla donde va un candado Cisa de los más grandes que he visto. Se cerró la puerta y luego los candados

6. El entonces director de la prisión militar de Ramo Verde, Humberto José Calles González, fue ascendido a general de brigada en julio de 2014 y actualmente es el vicepresidente de Desarrollo Territorial de la CVG.

de la entrada al anexo. El ruido lo percibí con un eco hondo que subió las escaleras anunciándome, o recordándome, que esta es una cárcel. Es el ruido más característico de este lugar, un sello de sonido que dice: «Estás preso».

La audiencia de presentación debió ser el día 19 de febrero en el Palacio de Justicia de Caracas, pero la decisión del régimen fue no sacarme de Ramo Verde y hacer el acto en un «tribunal móvil», un autobús que estacionaron a las puertas de la prisión (supongo que para cumplir con la formalidad de ser juzgado fuera de un penal militar). La audiencia duró doce horas y al final, luego de escuchar los absurdos alegatos de la Fiscalía, como ya estaba decidido por Maduro y su Gobierno, me dejaron preso.[7]

Durante todo el largo tiempo de la audiencia, los fiscales no me miraron a los ojos. Al final, uno de ellos, Franklin Nieves, se acercó y me dijo: «Lo siento mucho». Me ofreció un chocolate y unos caramelos de menta. Los recibí y me dije que aquel hombre sabía

7. Poco después, el 21 de febrero, la Oficina del Alto Comisionado de la ONU para los Derechos Humanos expresaba su preocupación por la detención de López: «Lo que podemos hacer ahora es subrayar que su caso debe ajustarse al principio de un proceso justo. Si hay cargos razonables que presentar, deben presentarse inmediatamente o se le debe liberar pronto». Al mismo tiempo, José Miguel Vivanco, director de Human Rights Watch (HRW), señalaba: «El Gobierno venezolano ha adoptado abiertamente las tácticas habituales de los regímenes autoritarios, y ha encarcelado a opositores, censurado medios de comunicación e intimidado a la sociedad civil».

que lo que estaba haciendo estaba mal, pero era prisionero del sistema, de la dictadura, tanto como lo podía ser yo. Ya vendrá el tiempo de la liberación, para él, para los militares y para todos los venezolanos.[8]

Así fue mi llegada, mi primera noche. Esa primera noche en la cárcel es quizá la más larga. Es un punto de transición, de cierre de una etapa y el comienzo de otra. Esas largas primeras horas, echado en la cama, viendo el techo recordaba todo lo que había pasado desde el 12 de febrero: la corta clandestinidad, los allanamientos, la persecución y la presentación ante la justicia injusta. Pude asimilar entonces los eventos de ese 18 de febrero que comenzó en la maleta de un carro, la gente, los tribunales, un vuelo en helicóptero, la llegada a este sitio y el cierre de la reja con ese sonido. Desde ese día, aún 18 de febrero, hasta el 23 de septiembre —siete meses— estuve encerrado en la celda, en aislamiento, con solo una hora de patio al día.

Los días anteriores o cómo llegamos a esto

En las elecciones municipales del 8 de diciembre de 2013 Voluntad Popular fue el partido de la unidad con

8. Franklin Nieves, uno de los fiscales, junto con Narda Sanabria, que condenó a Leopoldo López, abandonó Venezuela en octubre de 2015 y publicó un video en YouTube en que daba cuenta de las presiones del régimen durante el juicio. Refugiado en Miami, ha solicitado asilo político en Estados Unidos.

mayores victorias y lo más relevante es que solo dos de ellas (El Hatillo y San Cristóbal) fueron en localidades históricamente opositoras. La inmensa mayoría se obtuvo en bastiones del PSUV. Las victorias en terreno opositor también tienen un significado especial porque representan el triunfo de una generación lanzada a la lucha política a partir de 2007, de la que forman parte Daniel Ceballos (hoy preso conmigo en Ramo Verde)[9] y David Smolansky,[10] quien se ha destacado por saber balancear su labor como alcalde con la de líder político ante la coyuntura nacional.

Estas victorias frente al PSUV son el producto, en mi criterio, de tres factores: un liderazgo social y político fuerte en cada uno de los municipios (la inmensa mayoría legitimado en primarias, otra de las tesis impulsadas por Voluntad Popular), un trabajo social de base en las comunidades y sectores populares con las

9.   Daniel Ceballos era alcalde del municipio San Cristóbal, en el estado Táchira, cuando ocurrieron las protestas de febrero de 2014. Suspendido y destituido de su cargo, Ceballos fue detenido por el SEBIN, el Servicio Bolivariano de Inteligencia Nacional, y encarcelado en la prisión militar de Ramo Verde en marzo, bajo la acusación de haber promovido las revueltas. Permaneció encarcelado hasta agosto de 2015, cuando, por razones humanitarias, se le permitió permanecer en arresto domiciliario.

10.   David Smolansky (1985), comunicador social, miembro de Voluntad Popular y alcalde de El Hatillo desde 2013. Freddy Guevara (1986), comunicador social y concejal del área metropolitana de Caracas, dirige Voluntad Popular desde el encarcelamiento de Leopoldo López y el exilio de Carlos Vecchio, coordinador político nacional de la organización.

redes populares y un discurso frontal contra el desastre del Gobierno.

El pueblo de Venezuela sin duda hoy está agobiado por problemas que deberían estar resueltos por cualquier Gobierno medianamente eficiente, como la escasez de productos, la inflación, la inseguridad, problemas de servicios básicos como la luz, el agua y el gas. Pero nuestro pueblo también está asfixiado por un régimen que lo quiere controlar todo, que quiere racionar la comida, marcar a la gente con números para que compre alimentos, decirle al pueblo qué debe escuchar, leer o ver. Es decir, una dictadura que busca suprimir nuestras libertades. El venezolano tiene tantas necesidades materiales y básicas como necesidades espirituales de libertad, y cualquier discurso y propuesta política debe entender esa necesidad de nuestro pueblo.

Luego de las elecciones de abril de 2013, cuando asumimos, tal como lo dijo Henrique Capriles, que Maduro se había robado las elecciones, nos planteamos una intensa discusión sobre cómo caracterizar el régimen y cómo salir del desastre. Esta discusión la dimos dentro de Voluntad Popular y la propusimos en reiteradas reuniones de la MUD.

Sobre la caracterización llegamos a la conclusión de que este era un régimen corrupto, ineficiente, represor y antidemocrático. Y teniendo estas características el régimen no puede ser llamado democrático, por lo que asumimos que el régimen es una dictadura. Una dictadura del siglo xxi, una dictadura con cierto apoyo popular como lo tuvieron muchas dictaduras del siglo xx. Crecí escuchando historias terribles de la dictadura de Juan Vicente Gómez,[11] ya que mi bisabuelo, el médico Eudoro López, fue perseguido y preso político del régimen de aquel momento y, en consecuencia, mi abuelo Leopoldo, su madre Rafaela y sus hermanos tuvieron que sufrir el exilio por casi dos décadas. Siempre tuve imágenes de esa época, pero todas eran en blanco y negro. Esta dictadura es a color porque está aquí frente a nosotros en nuestro presente.

A comienzos de 2014 elaboramos, conjuntamente con otros factores sociales y políticos, una agenda de acciones enmarcadas en una ruta de cambio que combinaba protesta no violenta con asambleas populares para fortalecer la organización social para el cambio. Así lo expusimos en un documento que utilizamos para la convocatoria y que hoy constituye un elemento probatorio promovido por la Fiscalía en el juicio en mi contra. En este documento, presentamos la ruta paso a paso. La propuesta se dio a conocer como «La Salida».

El 23 de enero de 2014, fecha del alzamiento popular que dio paso a la democracia en 1958, celebrado tanto por el régimen como por la oposición, hicimos un llamado a asumir el camino de la reconquista de la democracia con asambleas y protestas no violentas.

11.   Juan Vicente Gómez Chacón (1857-1935), hacendado y militar, gobernó autoritariamente durante veintisiete años, desde 1908 hasta el final de su tercer mandato como presidente de los Estados Unidos de Venezuela (1931-1935).

El 23 de enero de 1958 fue un día cumbre de una lucha sostenida desde la clandestinidad, la protesta y el desgaste político de la dictadura de Marcos Pérez Jiménez.[12] Fue en ese contexto que propusimos una agenda que tenía como primer paso la convocatoria a asambleas populares en todo el país para discutir la ruta hacia la salida de la dictadura. La primera fecha propuesta fue el 2 de febrero.

Aquel día la asamblea en Caracas se convocó en la plaza Brión. En el resto del país, se convocaron más de un centenar de asambleas. La respuesta nos sorprendió. No solo fue masiva sino también representativa. Allí estaban estudiantes, dirigentes sindicales, trabajadores, organizaciones sociales y, lo más importante, mucha gente y mucho compromiso. Ese día, los estudiantes convocaron a que el 12 de febrero, Día de la Juventud, se celebrara de manera amplia en la calle. Mientras que la asamblea de Caracas culminó sin problemas, en otras partes del país se dieron las primeras detenciones arbitrarias. En la isla de Margarita metieron presos a seis estudiantes y en el estado Táchira a cuatro jóvenes.

A partir del 2 de febrero se sumaron muchos factores, principalmente estudiantes, a la convocatoria

12.   El general de división Marcos Pérez Jiménez (1914-2001) fue presidente *de facto* de los Estados Unidos de Venezuela (1952-1953) y el 38.º presidente de la República de Venezuela (1953-1958). Depuesto por un golpe militar, se exilió primero en la República Dominicana y murió en España.

del 12-F. Se dieron concentraciones en todo el país y fueron acompañadas por todos, absolutamente todos, los factores de la Unidad. En Caracas, luego de la concentración en la plaza Venezuela donde expusimos la ruta de asambleas y protesta no violenta para activar una salida constitucional y democrática, se acordó marchar hasta la Fiscalía General de la República (Ministerio Público) para exigir la liberación de los jóvenes detenidos que se habían convertido en las primeras de lo que fueron más de 3.500 detenciones arbitrarias a manifestantes entre febrero y mayo de 2014.

La marcha a la Fiscalía fue masiva y pacífica. Allí estuvimos un par de horas protestando y exigiendo la liberación de los detenidos. No hubo ningún incidente. Por decisión del Gobierno y de la fiscal, no había presencia policial cuando llegamos. Luego llegó la Guardia Nacional Bolivariana (GNB) y la Policía Nacional Bolivariana (PNB) y se mantuvieron distantes de la Fiscalía, donde estaba la concentración. Siempre llamamos a la calma y a la no violencia como estrategia de lucha en la calle. Al conocer que se aproximaban colectivos armados, protegidos por la PNB y GNB, decidimos hacer un llamado a retirarnos. Se retiró el grueso de la manifestación, en paz y sin violencia. Sin embargo quedó en el sitio un número de manifestantes en su mayoría estudiantes. Entre ellos Bassil Da Costa, joven carpintero de veintitrés años que fue asesinado por funcionarios del SEBIN.

El asesinato de Da Costa y el de Juan Montoya, ocurridos tras habernos retirado, junto a la del joven piloto Roberto José Redman, asesinado esa noche por funcionarios policiales mientras se manifestaba en Chacao, generaron indignación entre los manifestantes, quienes lanzaron piedras en contra de los funcionarios y luego frente a la Fiscalía. Eran piedras contra balas que salían de armas oficiales cargadas por funcionarios uniformados y de civil, y de las armas tantas veces denunciadas de los colectivos allí presentes. Es importante señalar y destacar que todas las pruebas audiovisuales muestran a funcionarios disparando las armas de fuego que causaron estas lamentables muertes. No existe ninguna foto ni testimonio que señale a alguno de los manifestantes disparando.

Esa misma noche al saber de la orden de captura en mi contra por los delitos de instigación, asociación para delinquir, daños, incendio, terrorismo y homicidio, se me presentaron tres opciones. Estos últimos dos delitos fueron desestimados por la Fiscalía en la acusación formal, pero es importante señalar que cuando acudí al TSJ estaban presentes, así como en la orden de captura con la que allanaron mi casa, la de mis padres y la sede de Voluntad Popular. El que a solo cuatro horas de los hechos, la fiscal hubiera aprobado una orden con los delitos de terrorismo y homicidio pone en evidencia la saña y el carácter político de esa orden de captura, preámbulo de mi encarcelamiento.

Confieso que nos sorprendió la manera tan masiva como se dieron las protestas. Nosotros sabíamos, antes del 12-F, que había mucho malestar acumulado en la gente, pero no esperábamos tanta participación. El hecho cierto es que la combinación del descontento por razones sociales, la crisis económica y la asfixia a las libertades con la represión policial y judicial desatada a partir del 2-F, y acentuada del 12-F en adelante, fueron las bases para una protesta que duró más de tres meses, cuyas razones, en mi opinión, siguen más vigentes que nunca.

Es importante recordar que la violencia durante esos meses fue consecuencia de la represión policial y judicial. Es un grave error hacerse eco del discurso del Gobierno de que la violencia vino del lado de los manifestantes. Los hechos muestran lo contrario: más de 3.500 detenidos arbitrariamente, represión exagerada contra todas las manifestaciones, 43 muertes de las cuales los únicos que están claramente identificados como responsables son funcionarios de seguridad o miembros de colectivos. No hay ni un solo caso en donde se haya vinculado a manifestantes con la autoría material de alguno de los homicidios.

Lo que ocurre es que, ante el cerco mediático y la asfixia comunicacional, el régimen montó una campaña despiadada, calificando como terroristas, fascistas y asesinos a los estudiantes y a los manifestantes en general. Esto en lugar de inhibir generó aún más indignación.

Durante mi clandestinidad, mi entorno político y familiar fue asediado por la dictadura. Allanaron violentamente, pistola en mano y derrumbando puertas, la sede de Voluntad Popular, detuvieron a varias personas de mi equipo buscando pistas de dónde yo podía estar y allanaron mi residencia. La madrugada del domingo 15 de febrero allanaron la casa de mis padres, donde estaban mis dos hijos y Lilian, mi esposa. Llegaron 20 hombres, vestidos de negro, con capuchas, armas largas y una orden de captura por terrorismo y homicidio. Luego de requisar la casa e intimidar a mi familia, los informaron de que el presidente de la Asamblea Nacional, Diosdado Cabello, estaba en camino y que quería hablar con ellos.

Diosdado Cabello llegó con un plan y una propuesta muy concreta: que lo mejor era que me fuera del país y que incluso él «amablemente» podía ayudar con las gestiones para tal fin con distintos países. Ese día, antes de la inesperada visita, yo pude hacerle llegar mi decisión a mi familia. La única persona con quien me reuní durante mi clandestinidad fue con Carlos Vecchio y fue precisamente ese sábado.[13] A Carlos le pedí que le comunicara a mi familia la decisión que había tomado de presentarme voluntariamente ante la justicia injusta y que lo haría el martes 18 de febrero. Fue oportuno que ese mensaje le hubiera llegado antes a mi

13. Carlos Vecchio, abogado, político y coordinador político nacional de Voluntad Popular, logró permanecer en la clandestinidad desde febrero de 2014 y se exilió a Estados Unidos.

familia, que le había dicho a Carlos que me tratara de convencer de que pensara bien la opción de salir del país. Luego de que Carlos les comunicara la decisión, ellos la respetaron y así se lo hicieron saber a Diosdado Cabello.

Ante la negativa de la salida del país como opción, Cabello le propuso a mi familia que el asilo en una embajada también era una alternativa en la que él estaba dispuesto a «ayudar». La respuesta fue la misma, porque mi convicción ha sido, es y será no irme de Venezuela.

Según me cuentan mis padres y Lilian, la reunión fue cordial dentro de lo que cabe en un momento como ese. Incluso ante la insistencia de Lilian de que me estaban persiguiendo injustamente, Cabello les reconoció a ellos que yo era inocente y que esto era una medida política. Les dijo que a ellos los tomó por sorpresa nuestro llamado a la calle, sobre todo luego de los resultados de las elecciones municipales en las que Voluntad Popular había salido como el partido de la unidad con mayor número de alcaldías, de las cuales la mayoría las habíamos ganado en lugares donde siempre había gobernado el PSUV, incluyendo el municipio Maturín, capital del estado Monagas, segundo estado en importancia por su capacidad de producción petrolera y casualmente estado natal de Diosdado Cabello y donde fue electo diputado. Esa primera reunión terminó sin ningún acuerdo, por la simple razón de que no había nada que acordar.

El domingo, desde la clandestinidad, grabé un video para pedir a los venezolanos que me acompañaran el 18-F a presentarme ante la justicia injusta. Fue un mensaje sencillo y directo, en el cual les pedía, además, que vistieran una prenda de color blanco, como una muestra de nuestra convicción en la no violencia. Ese video tuvo un impacto inmenso por las redes sociales la noche del domingo y el lunes. El domingo en la noche, en cadena nacional, Maduro volvió a arremeter en mi contra, llamándome terrorista asesino y reiterando que la fuerza pública estaba desplegada buscándome. En esa cadena también asomó, por primera vez, la versión según la cual «les había llegado» información de que había sectores (de la oposición) interesados en asesinarme.

La madrugada del martes, Diosdado Cabello se volvió a comunicar con Lilian pidiendo otra reunión. Nuevamente fue a la casa de mis padres. Se reunieron, y en esta oportunidad el planteamiento era otro. Tenía información de que me iban a asesinar, de que había planes para matarme si me entregaba en público. Su propuesta fue que si me iba a entregar, que lo hiciera en un lugar controlado y con testigos, pero no en la manifestación porque me iban a matar.

Como es lógico, un planteamiento de este calibre, expuesto por el hombre fuerte de la dictadura, era para tomarlo en serio por parte de mi familia. Desde las tres de la madrugada me estuve comunicando con Lilian, que me pedía que no me entregara, que pensara en nuestros hijos. La angustia generada a Lilian y a mis padres era más que comprensible. Ya la amenaza había escalado a lo más alto que podía llegar, la muerte. Ellos me insistieron hasta el último minuto y yo siempre manifesté mi voluntad de permanecer en el país, al costo que fuera.

Había tomado una decisión, la cual mantengo, que es la correcta: enfrentar, en todos los terrenos, en todos, y en especial en el moral, a la dictadura.

2

CONTRA LA DESESPERANZA, VOLVER A ESCRIBIR

Como preso político de Nicolás Maduro, hoy —miércoles, 24 de septiembre de 2014— tomé la decisión de volver a la escritura de unas notas sobre lo que ha sido esta experiencia. Retomar la tarea pendiente de dejar asentadas sobre papel mis ideas, pensamientos, reflexiones, sucesos y anécdotas de mi pasantía por Ramo Verde, la cárcel militar cercana a Caracas que ha devenido en centro de reclusión de muchos de los presos de conciencia del régimen, me tomó un tiempo más largo de lo que hubiera querido.

No había vuelto a escribir desde el pasado 26 de julio, cuando treinta hombres encapuchados, vestidos de negro y con armas largas ingresaron en nuestras celdas esa madrugada. Llegaron silenciosamente, sin identificación, sin los custodios ni fiscales como es requerido. Yo me percaté de la presencia de estos hombres cuando escuché unos ruidos, y al abrir los ojos estaban allí tres hombres observándome mientras dormía. Al cuestionarles qué hacían no contestaron y, junto a otros cinco, comenzaron a registrar todo. Tomaron mis cuadernos, mis diarios y las notas para mi defensa. Dijeron que eso les interesaba; traté de impedir que se los llevaran pero me golpearon. A lo lejos escuché que también maltrataban a Scarano, a Lucchese y a Ceballos.[14] Luego supimos que eran de la Dirección General de Contrainteligencia Militar (DGCIM). Se llevaron dos libretas voluminosas, llenas con mis notas, y nunca me fueron devueltas, supongo que estarán en manos de no sé qué autoridad o analista de inteligencia.[15]

14. Vicenzo *Enzo* Scarano (1963) es el exalcalde opositor de la ciudad de San Diego (2004-2014), inhabilitado hasta 2016 por presunta corrupción. Líder del partido Cuentas Claras, fue condenado a diez meses y medio en Ramo Verde y destituido de su cargo por desacato de la orden de prohibición de barricadas en su jurisdicción. Acabó de cumplir la pena en arresto domiciliario por sus problemas de salud. Salvatore Lucchese, exdirector de la policía de San Diego y encarcelado también el 19 de marzo de 2014, con idéntica sentencia, denunció ante la ONU haber sufrido torturas en Ramo Verde. Ambos, Scarano y Lucchese, fueron liberados el 4 de febrero de 2015 tras cumplir su condena.

15. Juan Méndez, relator especial para la ONU que se encarga de examinar las cuestiones relativas a tratos o penas crueles, inhumanos o degradantes, consideró que estas acciones pueden ser definidas como tortura.

El hecho de que volvieran a robarse mis escritos me había servido como excusa para no sentarme más a hacerlo. Hace una semana, en una visita que me hizo en su condición de abogado, conversé con el escritor Francisco Suniaga,[1] quien me insistió en que, desde todas las perspectivas, era importante que describiera mi pasantía por esta cárcel, y me hizo algunas sugerencias sobre cómo asumir la tarea. Yo ya había venido considerando retornar a la escritura por estar cada vez más convencido de que la razón por la que el régimen hostiga a los presos políticos es precisamente esa: anular su voluntad, llenarlos de desesperanza. El robo de mis notas fue parte de la estrategia para robarme también la esperanza y la fe. Fue cuando, luego de asomarme por la ventana prestada de la muy posible libertad de varios compañeros presos, finalmente decidí sentarme de nuevo a escribir.

La idea era y sigue siendo dejar un registro de mi experiencia en esta prisión. Sin limitarme al simple ocurrir de los días, quiero escribir sobre los recorridos imaginarios que he hecho por toda Venezuela, de las ideas y propuestas que pienso podrían aplicarse a los distintos sectores de la vida nacional para recuperar nuestro país y a nuestra gente. Quiero escribir desde mi presente en la cárcel, tomar prestado lo que he vivido, y proyectar mis notas hacia la consecución de un futuro

---

1. Francisco Suniaga (1954), columnista, abogado y profesor de Derecho en la Universidad de Caracas, es uno de los novelistas más prestigiosos de Venezuela.

mejor para el pueblo venezolano, lo que, sin duda, es mi más grande aspiración y fuente de optimismo.

En estos días finales de septiembre estaban ocurriendo cosas importantes. El viernes 20 habían puesto en libertad, aunque no plena como la merece, al comisario Iván Simonovis, excomandante de la Policía Metropolitana de Caracas.[2] Me llenó de alegría saber que Iván está de vuelta con su familia, aunque tenga casa por cárcel y se encuentre seriamente enfermo por la desidia y crueldad de sus carceleros a lo largo de once años. Rezo a Dios por él y sus seres queridos y les deseo lo mejor después de tanto sufrimiento.

Desde la liberación de Iván comenzaron a correr los rumores de que los cinco agentes de la extinta Policía Metropolitana —Marco Hurtado, Héctor José Robaín, Arube Pérez, Luis Molina y Erasmo Bolívar— detenidos (el 21 de abril de 2003), procesados y encarcelados (el 3 de abril de 2009) junto con él, a

2. Iván Antonio Simonovis Aranguren (1960), criminalista y consultor penal, era jefe de seguridad ciudadana de la Alcaldía Mayor de Caracas durante los sucesos de abril de 2002. Detenido en noviembre de 2004 y acusado por el Gobierno chavista de lo ocurrido, en 2009 fue condenado a treinta años de reclusión en Ramo Verde. Muy enfermo, solicitó el indulto humanitario en varias ocasiones, aunque el Gobierno se lo denegó. Tras una operación crítica en julio de 2013 y una grave recaída en enero de 2014, finalmente se le permitió abandonar la cárcel el 20 de septiembre de 2014 para continuar con su tratamiento médico bajo arresto domiciliario.

raíz de los sucesos del 11 de abril de 2002, saldrían también en libertad.[3] Llevan once años aquí, víctimas de una justicia puesta al servicio del poder, de una maquinación que necesitaba culpables y no se detuvo ante humildes hombres del pueblo, y los convirtió en cabezas de turco. El rumor de su pronta puesta en libertad ha circulado con insistencia; sin embargo, ha pasado ya una semana y la decisión tarda en llegar.

Este 24 de septiembre, día de la Virgen de las Mercedes, lo pasé por primera vez desde mi encierro pensando en la idea de salir, en la necesidad de recuperar y volver a disfrutar de la libertad de la que me han privado desde el 18 de febrero de 2014. Hasta ahora había querido evitar pensar que mi libertad física pueda ser inmediata, pero hoy fue distinto, porque vino a mí desde la felicidad de saber que quienes han sido injustamente privados por más de diez años de su libertad van a poder salir a reunirse con los suyos, aunque con pérdidas irreparables; van a encontrarse con una vida distinta, no regresarán ya a la que dejaron cuando fueron apresados.

3. El jueves 11 de abril de 2002, mientras Venezuela vivía una huelga general convocada por Fedecámaras, la principal organización patronal del país, tuvo lugar un intento de derrocamiento contra Hugo Chávez. El día 12, Pedro Carmona, presidente de Fedecámaras, se hizo con el poder y Chávez permaneció secuestrado hasta el día 13, cuando un contragolpe expulsó a Carmona. Diosdado Cabello, presidente interino, ordenó rescatar a Chávez y le devolvió el poder en la madrugada del 14 de abril.

Por primera vez se me permitió, luego de siete meses de encierro, socializar con el resto de los prisioneros como uno más del grupo. La oportunidad se dio por la celebración de una misa en honor a la Virgen a la que pude asistir, y el inicio de los juegos entre los distintos pisos del penal.

Conversé con Erasmo Bolívar, uno de los cinco policías metropolitanos injustamente encerrados. Tiene treinta y ocho años, es vecino de Vargas y aquí se ha convertido en el organizador de actividades recreativas y deportivas. Erasmo me contó que, cuando entró a la prisión, su hija mayor tenía ocho años de edad y en estos días estaba por cumplir diecinueve, y la menor, que tenía cuatro, cumple dieciséis en unos meses. Ya no está casado con la madre de sus hijos y regresa a una vida distinta, incierta, pero lo hace lleno de optimismo y entusiasmo por volver a comenzar. Aquellos venezolanos que he podido conocer aquí, a pesar de las restricciones que me han impuesto para hablar con otros presos, en particular los que han sido injustamente procesados y privados de su libertad por razones políticas, salen como mejores hombres. Sin rencores ni resentimientos, con ganas de mirar hacia delante, de construir los sueños que han tejido durante años en las cuatro paredes de sus celdas.[4]

En Ramo Verde se encuentra detenido también el general Raúl Isaías Baduel, el hombre que salvó a

4. En el momento de publicar este libro, los exagentes de la PM no han sido liberados.

Hugo Chávez el 13 de abril de 2002, encerrado aquí por haberse opuesto a la reforma de la Constitución que intentaran aprobar por referéndum en 2007.[5] Y no deja de ser curioso que las celdas y espacios de este penal sean compartidos por los supuestos villanos y el héroe, ahora roto, de aquellos sucesos. Sin duda una muestra de cómo la justicia revolucionaria ha sido utilizada para castigar a quienes se le oponen.

He aprendido mucho de lo poco que he podido hablar con los demás presos, políticos y militares. Si alguna destreza psicológica puede desarrollarse en la cárcel, es la capacidad de estar en paz contigo mismo. Se aprende mucho de observar y escuchar a los demás, se aprende cómo asumir la adversidad y, más importante, cómo tratar y manejarse, o simplemente a reconocer la mayor fuerza que debemos dominar para mantener la estabilidad emocional: el tiempo.

El tiempo, el tiempo, ese enemigo inagotable. Días convertidos en semanas, semanas en meses y meses convertidos en años. Al tiempo lo dominamos o nos domina. Y aquí, en la cárcel, cuando el tiempo te domina es una sensación aplastante. Es estar ilusionado con la idea de que mañana o la semana que viene se abre el candado y sales libre, y cuando no se abre te acomete la frustración. Para dominar el tiem-

5. Raúl Isaías Baduel, exgeneral en jefe del Ejército venezolano, exministro de Defensa y excomandante general del Ejército, fue arrestado el 2 de abril de 2009, condenado a casi ocho años de cárcel el 7 de mayo de 2010 y puesto en libertad condicional el 12 de agosto de 2015.

po hay que evitar pensar en él, y asumir que, siendo la única variable que no controlamos, lo mejor es no pensar en ella. Por eso no me he fijado plazos, sé que voy a salir en libertad alguna vez, a luchar a brazo partido por la libertad y la democracia en Venezuela, por sacar a tanta gente buena del ciclo perverso de la pobreza donde la ha encerrado el régimen de Maduro, y eso basta.

Durante mis primeros días de cautiverio leí la historia del jesuita vietnamita Francisco Javier Nguyen van Thuan (1928-2002). Obispo y cardenal, fue perseguido y encerrado por los comunistas durante diez años bajo la acusación habitual en los regímenes de ese corte: «ser parte de un complot entre el Vaticano y los imperialistas para organizar la lucha contra la patria socialista». Su libro, *Cinco panes y dos peces*, donde narra su experiencia, me lo regaló en una de sus visitas el padre José Antonio da Conceiçao, capellán de Ramo Verde. En sus breves memorias de esos días, el padre Van Thuan hace el recuento de cómo venció al tiempo asumiendo cada día como una prueba de coraje. En sus reflexiones advierte que la principal frustración del preso es pensar todos los días que saldrá en libertad lo antes posible, y, al no ocurrir eso, sufre a diario una decepción. Ante esa realidad, relata cómo consiguió fuerza y estabilidad emocional a través de dos maneras: ocupándose de vivir al máximo el día a día y fortaleciendo el alma mediante la oración y la relación con Dios.

Con humildad he seguido sus consejos; sé que voy a salir en libertad y cuando lo haga estaré más fuerte de alma, mente y cuerpo. Saldré fortalecido y sin rencores; el odio y el resentimiento son las reacciones propias de los miserables que han llevado a nuestro país a esta crisis humana tan severa, a hacernos, física y espiritualmente, más pobres e infelices. Voy a salir en libertad para seguir luchando por las mismas causas por las que siempre he luchado, y voy a seguir luchando mientras tenga vida, las mismas nobles causas por las que fui encerrado: la defensa de la democracia y la libertad del pueblo venezolano. Voy a salir en libertad para avanzar juntos en ese nuestro sueño de alcanzar la mejor Venezuela, la de la paz, el bienestar y el progreso. Una Venezuela que surja de un gran acuerdo nacional que garantice que todos los derechos sean para todos los venezolanos.

Todos los derechos para todos los venezolanos, frase en la que resumo lo que en mi opinión debe ser la democracia que nos toca construir a esta generación. Un sistema de Gobierno y convivencia que vaya más allá de la elección de los gobernantes, algo que representó la bandera de la lucha por la democracia en el siglo XX. Nuestra propuesta democrática va más allá de ese logro, trasciende incluso el establecimiento del imperio de la ley y la autonomía de los poderes republicanos. Nociones formales imprescindibles, pero vacías si no incorporamos la aspiración social de cada venezolano de disfrutar también de los beneficios materiales de la democracia. Cuando decimos todos los derechos para todas las personas, decimos que el Estado de derecho y la institucionalidad democrática deben ser una realidad tangible, palpable, para cada venezolano, lo que deberá traducirse en una mejora material de su calidad de vida. Así entiendo la democracia en este siglo XXI.

3

RAMO VERDE:
LA PRISIÓN QUE FUE UNA ESCUELA

Ramo Verde es el nombre del sector donde está ubicada la prisión en que me encuentro, el Centro Nacional de Procesados Militares (Cenapromil), al oeste del estado Miranda. En la colina que está enfrente se encuentra la cárcel de mujeres, el Instituto Nacional de Orientación Femenina (INOF). La zona está a unos mil cuatrocientos metros sobre el nivel del mar, por lo que el clima es un poco más frío que en la capital. La vista desde aquí da, por un lado, a la ciudad de Los Teques y, por el otro, hacia una fila de colinas despobladas y cubiertas con una yerba que pareciera ser el capín melao que abunda en El Ávila y en las montañas que rodean Caracas. Se pueden ver también algunos árboles, eucaliptos mayormente. La vista es hermosa aunque, estando en una cárcel, es difícil vincularlo con la idea de que sea un lugar agradable. No obstante, para mí lo ha sido muchas veces, cuando he tenido la oportunidad de salir de mi celda y ver el cielo, las nubes o el atardecer. Esos momentos me reconfortan y llenan de energía.

Las instalaciones de la cárcel fueron, según me han dicho, concebidas inicialmente para una escuela y luego fueron adaptadas para su función como cárcel. No deja de ser una ironía que cuando Luis Beltrán Prieto Figueroa fue ministro de Educación en los años cuarenta, hubiera hecho justo lo contrario y transformara en escuela una edificación construida para ser cárcel, como ocurrió en la prisión de San Antonio, en la isla Margarita. Entiendo que como recinto penitenciario estas instalaciones de Ramo Verde tienen veinte años y han sido reformadas de manera sucesiva durante ese período.

En Ramo Verde hay actualmente entre ciento cincuenta y ciento ochenta presos, la mayoría de ellos en el edificio principal. En el anexo B, donde nos encontramos nosotros, estamos en este momento —finales de 2014— diez reclusos. Cuando llegué en febrero era el único preso en esta parte de la cárcel, donde anteriormente estaban ubicadas las dependencias administrativas. Luego de la construcción, hace más de diez años, de un edificio administrativo, este anexo fue destinado a ser la zona de castigo, los tigritos.

Ramo Verde es una instalación militar y funciona como una unidad de ese carácter. Depende del Ministerio de la Defensa, está destinada a procesados y condenados militares, mezclados con algunos civiles como nosotros. La custodia es militar. Cuando llegué en febrero de 2014 estaba a cargo de la Guardia Nacional y el coronel Calles era el director. En julio de ese año, la custodia pasó al Ejército y el director es, desde entonces, el coronel Homero Miranda.[1]

Cuando llegué al anexo, ya día 19 de febrero, este se encontraba sumamente deteriorado, con paredes y techos quemados, llenos de basura y descuido. A partir de mi llegada el área se consolidó como un espacio para los presos políticos. Instalaron rejas y más rejas. Entre febrero y mayo le pusieron rejas a todos los pisos. Al llegar me separaban de la calle cuatro candados incluyendo el de mi celda. Hoy son diez los candados y las rejas que me separan de la calle, de la libertad. De todos esos candados hay uno que es el más pesado, el de mi celda.

El día siguiente, el 20 de febrero, fui informado por el director Calles de que me mantendrían encerrado en la celda y que, en unos días, podría considerarse que bajara al patio una vez diaria, durante una hora, como establece la ley de régimen penitenciario. Pasé los primeros quince días sin salir de la celda, a las únicas personas que vi fue a los custodios que me traían la comida. La misma comida repetida tres veces al día.

Luego de quince días pude recibir visita de mi familia, pero siempre en la celda, que una vez entraban

1. Homero Miranda Cáceres, ascendido a coronel del Ejército por Chávez, dirigió la prisión militar de Ramo Verde entre julio de 2014 y julio de 2015. Fue acusado de trato vejatorio y torturas a los presos y sus familias.

ellos se volvía a cerrar, para abrirse al final del horario de visita con el fin de que salieran y volver a cerrarse. Únicamente tenía contacto con la custodia y con otros presos que trabajaban aceleradamente en colocar más rejas en los pasillos del edificio y en el acondicionamiento de otras celdas.

Entre esos presos que trabajaban en la construcción de más rejas estaba Luis Molina, uno de los cinco policías metropolitanos que a raíz del juicio político, luego de los sucesos de abril de 2002, estaba pagando la más alta condena de nuestro código penal, treinta años. Ya Molina y sus compañeros, incluyendo a Simonovis, estaban entrando en su undécimo año de prisión. Once años presos, once años privados de libertad por un juicio sin pruebas, condenados por la necesidad de darle presos al libreto político creado por los gobernantes en torno a aquellos sucesos. Más que responsables de hechos concretos, los policías presos han sido un eslabón necesario del relato oficialista sobre lo que ocurrió en aquella fecha. Hubo muertes aquel 11 de abril y, por tanto, también había que tener responsables, pero esos no debían ser los sujetos, del elenco de los villanos, que fueron filmados disparando, sino otros para confirmar lo relatado por la verdad oficial.

Con Luis Molina y los presos que trabajaban en las rejas durante el día pude establecer mi primer contacto con otros reclusos, y fue hablando con ellos que me di cuenta de la discriminación a la que estaba siendo sometido. Toda la población del penal, excepto nosotros (los alcaldes Enzo Scarano, del municipio San Diego, y Daniel Ceballos, de San Cristóbal, el comisario Salvatore Lucchese y yo),[2] tiene libertad dentro de la cárcel, entre las siete de la mañana, hora en la que les abren las celdas, hasta las ocho de la noche, cuando se cierran todas, luego del conteo diario.

En Ramo Verde todos los presos, menos nosotros, los presos políticos, tienen acceso durante todo el día a las áreas comunes, a la cancha, el casino —una cafetería precaria— y la biblioteca. Además, no tienen ningún impedimento en moverse entre pisos, ir a las celdas de otros presos y, muy importante, son libres para poder hablar y compartir con el resto de la población penal.

La situación para nosotros es distinta. Muy distinta. Estábamos aislados en otro edificio y, además, encerrados en la celda, condición a la que son expuestos solamente quienes son sometidos a castigo por razones disciplinarias. A nosotros, Ceballos, Scarano, Lucchese y yo, nos sometieron a esa condición de aislamiento, solo reservada para castigos disciplinarios, desde el propio comienzo y sin razón alguna.

Estar en confinamiento solitario, en aislamiento, es una prueba de uno con uno mismo. Pasar todo un día, una semana, un mes, dos meses, cinco meses, solo con uno mismo es un desafío a la estabilidad mental y emo-

2. Los alcaldes y el comisario fueron detenidos y encarcelados arbitrariamente, pues las fuerzas del Gobierno arguyeron que hubo desacato al no disolver las protestas que se dieron a partir del 12 de febrero, para lo cual no tenían competencia.

cional de cualquier persona. En estas condiciones lo que pasó a ser prioridad para mí fue mantenerme fuerte. Fuerte en todos los sentidos.

Entendí desde los primeros días de encarcelamiento aislado que el terreno de mi lucha había pasado de ser la calle y la gente a limitarse a mi celda y mi mente. Estaba claro que para mantenerme fuerte tenía que estar consciente de la adversidad que enfrentaba, la soledad y el tener que estar acompañado solo por uno mismo.

Ha sido aquí, desde el aislamiento, que le he encontrado pleno sentido a la consigna griega «cuerpo sano, mente sana». Le he añadido el alma, el espíritu. Tres dimensiones que puedo fortalecer. Y ha sido el aislamiento lo que me ha llevado a dedicarle tiempo a cada una de ellas. Y fue así como diseñé una rutina de oración, lectura y ejercicio que me permitía alinear y fortalecer el cuerpo, la mente y el alma.[3]

He podido manejar la soledad entre otras razones porque no es una condición ajena para mí. Desde joven me ha gustado pasar tiempo solo y me gustaba irme de excursión en solitario. Cuando tenía quince años me fui sin compañía hasta el pico de Naiguatá en El Ávila, allí

---

3. El 25 de noviembre de 2014, Víktor Yúshchenko, expresidente de Ucrania, manifestó en una comunicación enviada a la prisión militar de Ramo Verde, su apoyo y admiración a Leopoldo López por su valentía y por estar comprometido por los cambios democráticos en Venezuela, toda vez que «el mundo sabe muy bien quién es usted, señor López, y está claro que no existen cárceles con murallas lo suficientemente gruesas para dominar su espíritu o silenciar su poderosa voz».

pasé un par de días y a lo largo de los años repetí esa excursión solitaria en varias ocasiones.[4] En otra oportunidad, en el año 1995, luego de una expedición de andinismo, pasé un mes recorriendo solo los caminos del Perú, Ecuador, Colombia y Venezuela. Esas experiencias me ayudan a lidiar con la soledad, pero esta va mucho más allá de los momentos pasados en los que quise estar solo.

Un día, Lilian me trajo un mensaje de Alfredo Autiero, buen amigo y compañero de expedición: «Alfredo te manda a decir que pienses que estás en la montaña, eso te va a ayudar». La última expedición que había hecho con Alfredo fue un ascenso al pico Bolívar, por la ruta de Los Nevados, en el año 2009.[5] Tenía mucha razón Alfredo, esto es como la montaña, solitaria, solo que sin los paisajes, el aire fresco, el reto y la certeza de que la soledad tiene un plazo que has decidido y que puedes ponerle término cuando quieras.

Aquí los días transcurren tan lentos que parecen semanas y estas parecen meses, y lo que ya parecía muy lejano, meses convertidos en años. Días, semanas y meses encerrado en cuatro paredes, acompañado de libros, la Biblia, mi crucifijo y uno mismo. Así es, uno acompañado por uno mismo.

El proceso de pensamiento para todos los seres humanos es una conversación con uno mismo, pero es

---

4.   El pico de Naiguatá, la montaña más alta de la cordillera de la Costa (2.765 m), está situado en el Parque Nacional El Ávila.

5.   El pico Bolívar es el más alto de Venezuela (5.007 m) y la de Los Nevados es considerada la ruta de ascenso más dura.

una conversación que en condiciones normales suele pasar desapercibida, pasa a un segundo plano cuando interactuamos con otras personas. En cambio, cuando uno está aislado, en solitario, ese proceso de conversar con uno mismo se hace más notorio y presente.

Antes de estar preso rezaba todos los días, iba a misa y tenía una buena relación con Dios, en mi fe católica. Pero ha sido aquí donde he encontrado el verdadero sentido a la oración. Antes simplemente rezaba, un padrenuestro, un avemaría y unas peticiones y buenos deseos correspondientes a las inquietudes del día. Desde que estoy aquí es distinto. He profundizado el sentido de la oración, orar acá no es un ejercicio dominado por la rutina, decir las oraciones aprendidas desde niño en un momento del día, acá orar es una conversación íntima con Jesús. Y esa oración ha sido uno de los pilares fundamentales de mi fortaleza en la cárcel. Es a partir de la oración que he podido construir todo lo demás, es decir, el ejercicio, la lectura, el dibujo, el cuatro.

Pasé varios meses sin siquiera un espejo, ahora tengo uno pequeño que trajo Lilian. El no tener espejo hacía, y hace, que ese proceso de estar solo con uno mismo sea más profundo, que trascienda el cuerpo y entre en la dimensión de la mente y del alma. Y ha sido esta conversación permanente conmigo mismo lo que me ha llevado a un proceso de consolidación de mis ideas, mis convicciones, mis anhelos. Hoy puedo decir, más allá de lo metafórico, que siento que me salen del alma. De un alma que ahora tengo más presente, que conozco más y que ha sido mi compañía estos meses que podrían convertirse en años de prisión.

Durante los primeros cuatro meses de cautiverio no pude asistir a misa. El padre José Antonio da Conceiçao, párroco de Carrizal, venía a mi celda una vez a la semana, pero no me permitían bajar al lugar donde se celebraba el oficio para todos los internos. Insistimos e insistimos hasta que se abrió la posibilidad de participar en la misa y fue en una de ellas cuando pude encontrarme con otros presos, como Iván Simonovis y Raúl Baduel, que están recluidos en el edificio principal.

Siendo esta una cárcel militar, la organización de los presos sigue la jerarquía castrense. En el primer piso están los suboficiales; en el piso dos, los oficiales subalternos; en el tres, los oficiales de mayor jerarquía; en el cuatro, soldados; y en el cinco, civiles y algunos soldados.

La dinámica del día a día para quienes están en el edificio principal es distinta a la nuestra. Nosotros solo podemos ir al gimnasio de seis y media a siete y media de la mañana y no podemos participar en las actividades regulares del penal. Estamos bajo una vigilancia estricta: además de las toneladas de rejas y candados que colocaron, instalaron dieciséis cámaras que mantienen una supervisión y vigilancia permanente de lo que hacemos cada minuto. En cada piso hay tres cámaras que son supervisadas en tiempo real. Ciertamente, el Gran Hermano vive.

Además de las cámaras, las rejas y el impedimento de establecer contacto con el resto del penal, tenemos asignado a un funcionario de contrainteligencia militar que está permanentemente con nosotros. Un chaperón militar —que tiene como función estar presente cuando estamos juntos los presos políticos—, un micrófono y un analista de inteligencia acompañan cada paso que damos. De todo el penal, somos los únicos con esta vigilancia adicional. Una vigilancia de contenido, las cámaras graban las imágenes y le queda al funcionario de la DGCIM grabar y recoger lo que hablamos. Este funcionario es cambiado semanalmente, todos los viernes hay relevo. Han pasado ya decenas de funcionarios de la DGCIM, de sargentos a capitanes, todos con la misma misión: mantener una vigilancia estricta.

Se ha asignado a estos funcionarios la grabación clandestina de nuestras conversaciones, incluso las que se dan en el contexto de las visitas familiares. Están dotados de grabadoras, cámaras, llaveros convertidos en micrófonos y toda clase de estrategias para grabarnos. De hecho, varios de estos funcionarios han confesado su misión de grabarnos y hemos encontrado grabadoras en el gimnasio, en los pasillos y, lo que es más grave, en el locutorio donde recibimos a nuestros abogados de defensa. Uno de los derechos fundamentales del preso es tener comunicación privada y confidencial con sus abogados. En nuestro caso, ese derecho es vulnerado y pisoteado, nos graban y todas las noches el coronel director de la cárcel pide parte: ¿qué grabaron hoy, qué dijeron? Aunque, en el fondo, la pregunta es: ¿consiguieron algo para joder a estos tipos?

El tratamiento que recibimos de la autoridad superior en Ramo Verde es el de prisioneros de guerra en un país extranjero. Somos considerados enemigos y, a pesar del trato cordial que tenemos con la custodia, el jefe del penal se empeña en hablar de nosotros como enemigos de la patria, enemigos del pueblo venezolano que dicen representar. A pesar de los esfuerzos por criminalizarnos, hemos desarrollado una buena relación con el personal que nos custodia, quienes, venezolanos al fin y al cabo, saben que las cosas en el país siguen mal y que esto tiene que cambiar.

COMPAÑEROS DE CELDA ATRAPADOS POR EL DESTINO

En mayo trajeron a cuatro presos del edificio principal a mi piso. Eran tres soldados y un sargento que estaban en el piso cuatro y fueron trasladados a este anexo por problemas de violencia y enfrentamientos en el piso donde estaban. Según me comentó uno de los custodios, a esos los sacaron de allá porque estaban montando el esquema de praneo y tenían amenazados a los otros presos, a los que cobraban «vacuna» o «causa», como dicen en la «lírica» penitenciaria.[6]

6. El praneo es una estructura de poder en el que un líder carcelario (el pran), junto con otros presos, se hace con el control de la cárcel y obliga al resto de los internos a pagar una cantidad diaria (la vacuna o causa) por conservar la vida. El pran suele controlar también las actividades o negocios internos de la cárcel.

Los primeros días solo pude hablar con ellos por las rejas porque me mantenían en aislamiento, pero en junio, cuando abrieron la celda, pudimos compartir y conversé mucho con ellos. Todos eran jóvenes, entre veintidós y veinticinco años, y habían caído presos por homicidio de un caso todavía no resuelto.

Joires, Luis, Llovera y Oriente. Ellos cuatro fueron trasladados del edificio principal al anexo por razones de «seguridad»: aparentemente eran quienes tenían sometido a otros internos y estaban avanzados en montar el esquema de gobierno de cárcel basado en el pran que domina la dinámica interna. Lo primero que pensé cuando uno de los custodios me comentó las razones de cambiarlos fue la gran contradicción: esa había sido la excusa para mantenerme aislado del resto del penal.

Durante meses el director Calles me decía que yo estaba aislado por mi seguridad, a lo que yo siempre le respondí que no se preocupara, que sabía defenderme solo, y qué contradicción que luego de meses solo ubicaron al lado de mi celda a quienes representaban una amenaza para el resto de los presos. Una vez más se cayó el argumento de estar aislado por razones de «seguridad». Si esto fuese cierto no tenía ningún sentido que ubicaran al lado de mi celda a quienes no podían controlar en el otro sector de la cárcel.

Desde los primeros días desarrollé una buena relación con ellos, llevaban tres años presos aquí en Ramo Verde. De ellos aprendí mucho sobre la realidad de los jóvenes presos en nuestras cárceles. Jóvenes vinculados con hechos violentos y con una idea propia de ser malandros. De ellos aprendí también la lírica de la cárcel: códigos para comunicarse, palabras que sustituían a otras en el mundo carcelario de Venezuela. Huevo es «yensi», leche es «vaquita», la custodia es «agua» y así un diccionario de palabras que conforman un idioma particular, una gramática de los presos.

En agosto dejaron en libertad a Oriente, que era de Maturín, del sector Santa Rita. Estaba preso por homicidio frustrado. Se había escapado dos veces de La Pica y por eso lo trasladaron a Ramo Verde. Antes de salir me envió un mensaje pidiéndome ayuda, me dijo que quería salir del mundo del hampa pero que necesitaba un trabajo. Le pedí a Lilian que hablara con Warner, alcalde de Maturín por Voluntad Popular, y pudimos conseguirle un trabajo en la alcaldía. No hay manera de una reinserción en la sociedad alejada del hampa sin oportunidad de empleo. Comenzó a trabajar en la alcaldía y le iba muy bien, según lo que me comentaron.

En octubre nos llegó la noticia de que había muerto. Lo habían asesinado como resultado de un ajuste de cuentas. Me impresionó mucho este episodio. Un retrato del ciclo vicioso al que está expuesta nuestra juventud, las rencillas entre grupos, la violencia cotidiana. También me impactó la reacción de sus compañeros, que vieron como algo normal y predecible el asesinato de Oriente. «Sabíamos que eso iba a pasar.»

Es como un destino de quienes entran en el mundo de la violencia y no pueden salir. Un destino al que todos pueden estar expuestos. La vida, la expectativa de vida es corta, limitada y determinada por la violencia. Una cosa es estudiar estadísticas, leer las crónicas y muertes violentas, y otra muy distinta es conocer esa realidad con rostro, con historias cercanas.

Hacía solo dos meses que Oriente estaba al lado de mi celda, había salido con la intención de romper con el círculo de la violencia, de construir una nueva oportunidad, pero su destino era otro, estaba atrapado por la realidad de la violencia que nos arropa como sociedad. Una realidad cotidiana, demasiado común, demasiado aceptada, demasiado presente para escaparse incluso por parte de quienes, como Oriente, buscaban caminar otro camino. La reacción de sus compañeros fue de asumir el hecho de su muerte como algo normal, como algo a lo que ellos también estaban expuestos: «Cuando nosotros salgamos nos tendremos que ir del país o enterrarnos en la selva para que no nos pase lo mismo».

Una totalidad, un destino marcado, una realidad aceptada, asumida como la única posible. No hay escapatoria en las condiciones actuales. Oriente era otro número en las estadísticas que entraba en el patrón que se repite sesenta veces al día en nuestro país. Hombres jóvenes, de entre trece y veinticinco años, de sectores populares de las ciudades, víctimas de la violencia. Esta es una realidad que tenemos que cambiar, un destino que no podemos seguir aceptando pasivamente. El caso de Oriente lo tendré siempre como referencia de quienes quieren escaparse de la violencia, pero que ven que la realidad es más fuerte que su voluntad. Una realidad que no podemos aceptar con complacencia, indiferencia y complicidad por parte del Estado si no queremos que esa realidad siga arropando a nuestra juventud.

Una condición común de la mayoría de los presos en Ramo Verde y de todos los penales es el sometimiento al retraso procesal. Más del 70 por ciento de los presos del país son procesados, es decir, no han sido condenados, están presos en espera de justicia. Este es uno de los principales problemas de la justicia penal en Venezuela. Por poner un ejemplo, Joiner, Luis y Llovera llevan casi cuatro años presos y todavía no han tenido audiencia preliminar. Llevan 32 audiencias suspendidas, diferidas. Bajan a tribunales y regresan sin ser atendidos. En el proceso los fiscales y jueces se han ocupado de contactar a los familiares no para explicarles lo que está pasando con el caso, sino para extorsionarlos y quitarles lo que tienen y lo que no tienen bajo la promesa de que van a proceder a liberarlos, promesa nunca cumplida, pero el cobro de la vacuna judicial siempre es puntual y a la orden del día.

Es una triste realidad a la que son sometidos los familiares, esposas y madres principalmente, de los presos en Venezuela. Todo el sistema está podrido, corrompido, y el hilo más delgado termina siendo el de las madres y esposas, que además de ser sometidas a humillaciones, colas y retrasos procesales, son víctimas de un sicariato judicial por parte de fiscales y jueces inescrupulosos que no se detienen en las condiciones de pobreza de los familiares para exigirles pagos que obligan a estas a vender e hipotecar lo que tienen para pagar la vacuna, en la mayoría de las ocasiones a cambio de una promesa vaga. Pero, a pesar de que todos saben el riesgo que corren en pagar la vacuna sin resultados ciertos, lo hacen, puesto que en este sistema es la única ventana de esperanza a la liberación de sus familiares.

La esperanza no fundamentada en la justicia es una esperanza en la efectividad del pago por debajo de la mesa. Es una radiografía de un sistema corrompido a todo nivel del que todos son cómplices y víctimas.

EL PICURE

José Antonio Tovar Colina, el Picure, es el jefe de una banda de hombres y mujeres dedicados a la extorsión y la delincuencia. Su banda se formó y fue evolucionando hasta convertirse en una peligrosa agrupación que cuenta con armamento de guerra, fusiles, granadas, pistolas y todo tipo de equipamiento que le ha permitido someter a sectores importantes del norte de Guárico y el sur de Aragua.

Hablo de este personaje porque es uno de los protagonistas de una información que me suministró un funcionario de Ramo Verde que pudo presenciar en una oportunidad cómo de tres camionetas conducidas por militares uniformados se bajaba un general y movieron unas cajas con fusiles que estaban vendiéndole al Picure. Esta información nos da una idea más nítida de los niveles de complicidad de las autoridades con el hampa y la delincuencia.

El tráfico de armas apunta directamente a la responsabilidad de militares que trafican impunemente con las armas de la República. No hay manera de justificar cómo las bandas de delincuentes, dentro y fuera de los penales, cuentan con fusiles FAL y AK-103 sin la participación directa de los responsables de su manejo y resguardo, es decir, los militares. Lo que no podemos poner en duda es que hay un quiebre moral en algunos sectores de la FANB que se han dedicado al tráfico de armas o que, en el menor de los casos, son responsables por negligencia. Hoy hay millones de armas en manos de la delincuencia y el cordón umbilical entre las armas, o buena parte de ellas, y los delincuentes es responsabilidad de los militares que tienen el monopolio constitucional de la fuerza, de las armas y de su resguardo.

Pero esa complicidad llega a niveles más altos. El funcionario que me dio esta información está adscrito a la DGCIM y fue asignado a estar conmigo todo el tiempo. A ellos los rotan semanalmente y ya han pasado tantas semanas que varios de ellos ya han venido varias veces. Un día conversamos sobre las bandas organizadas, su armamento y penetración en todo el territorio nacional, y en la complicidad y amparo por parte de las autoridades. En referencia a este último punto me contó, además de la información de la venta de armas por un general al Picure, sobre un operativo masivo en el que había participado. Un despliegue de varios organismos de seguridad en el sector de El Sombrero, en el estado Guárico, en búsqueda del Picure y su banda. El operativo contó con el apoyo de grupos comando del SEBIN, el CICPC y la GNB, en total más de 200 hombres. Luego de varias horas de enfrentamiento, de varios heridos y dos muertos, lograron someter al jefe de la banda y a varios de los integrantes.

El funcionario que me relata los acontecimientos estaba entre quienes lo sometieron. Al detenerlo cuenta que este les ofreció dinero, mucho dinero, para que lo dejen en libertad. Como era una comisión mixta y había muchos funcionarios, estos se negaron, diciendo que no se iban a manchar con dinero sucio. Fue entonces cuando el detenido les solicitó hacer una llamada y estos accedieron. Para sorpresa de todos, el destinatario de esa llamada no era un abogado o un familiar. Era nada más y nada menos que el gobernador del estado Aragua y exministro del Interior y Justicia,

Tareck El Aissami. Luego de un breve intercambio con el gobernador, le pasó el teléfono al jefe de la comisión y el mensaje dejó sorprendidos y frustrados a los presentes. La orden era clara: «Déjenlo en libertad, mantengan detenidos a los demás, pero al Picure me lo sueltan, yo me encargo». Y así fue y les dijo el delincuente: «Hubiesen agarrado el dinero y salían mejor; nos vemos». Se fue, lo soltaron impunemente. Esta historia pude verificarla posteriormente con otros funcionarios.

La solución del problema de la inseguridad y la violencia en nuestro país tiene muchas aristas, no hay una solución mágica. No es un problema meramente policial o judicial, tampoco es solamente una crisis de valores. Es la combinación de políticas erradas e ineficientes con la complicidad y la participación de autoridades en el hecho delictivo lo que ha convertido a Venezuela en uno de los países más corruptos y violentos del mundo.

Cuando fui alcalde de Chacao, analizamos con expertos esta grave situación que afecta a toda la sociedad, propusimos el Plan 180, un planteamiento que incorpora la reforma de todos los eslabones de la cadena del problema.[7] Es indispensable la voluntad política para llevar adelante cambios profundos

7. El Plan 180, presentado en junio de 2006, buscaba un giro de ciento ochenta grados en ciento ochenta días a la situación de inseguridad que aquejaba a Venezuela, basado en la creación de un Consejo Nacional de Justicia y Seguridad.

en la organización policial, el sistema de justicia y el sistema penitenciario. Y simultáneamente apuntar a la prevención del delito desde programas educativos, deportivos y culturales que incorporen a toda la sociedad en la transformación ciudadana.

4

MI CELDA Y LA LIBERTAD DEL ALMA

La primera noche en Ramo Verde fue larga y cargada de incertidumbre. No tenía nada en la celda, solo una sábana vieja y un colchón desgastado que parecía haber sido víctima de un usuario de media tonelada de peso. No había más nada. Me habían informado de que la audiencia de presentación sería al día siguiente, 19 de febrero. Sin embargo, serían ya las once de la mañana —no sabía cuál era la hora exacta porque no tenía reloj— y no tenía noticias de nada, eran mis primeras dosis de incertidumbre. A la una de la tarde entró el director de Ramo Verde a mi celda y me informó de que no habría traslado. Me trajeron una arepa y un jugo de patilla. Pasaba el tiempo y nada, cómo eran de lentos los minutos ese primer día, parecían horas. Comenzó a hacerse oscuro y a eso de las siete de la tarde llegaron a mi celda mis abogados —Juan Carlos Gutiérrez, Francisco Santana y Bernardo Pulido— y mi familia: mi esposa Lilian, mis padres y mi hermana Diana. Fue mi primer encuentro con ellos en la cárcel. Resultó duro. Cargados de indignación y frustración, todos conteníamos las lágrimas.

Me informaron de que la presentación ante la juez sería en la propia cárcel y que para eso harían un traslado de una unidad móvil del Tribunal Superior de Justicia (TSJ) para audiencias remotas. A las ocho de la noche me bajaron esposado hasta la puerta del penal, donde habían dispuesto un autobús convertido precariamente en sala de audiencias. A las nueve de la noche, con la presentación de la acusación en mi contra por la parte fiscal, comenzó el acto en el autobús. El interior era incómodo, estaba contaminado por el humo picante del motor que invadía todo el ambiente. La audiencia duró diez horas, hasta el amanecer del día 20. Un amanecer de audiencia. Mi familia soportó las incomodidades y se mantuvo en el sitio todo ese tiempo. A las siete de la mañana, ya acompañados por la luz del sol, salimos del colectivo transformado en sala de audiencias, me esposaron y me llevaron de nuevo a mi celda solitaria.

La celda tiene dos espacios, uno de ocho metros cuadrados, aproximadamente, donde tengo una hornilla, una pequeña nevera, una mesa y mis libros.[1] El otro de seis metros cuadrados, donde tengo una cama, que era la parte de arriba de una litera militar, y un baño pequeño, con lavamanos, poceta y regadera. Tengo algunas cosas que Lilian me trajo de la casa. Una silla que era de mi bisabuela Titita, donde pasó sus últimos años. Una pieza familiar muy especial para mí porque fue desde esa silla donde ella me preparó a mí y a mi primo Eduardo para la primera comunión. También me trajo el chinchorro que tenía en la casa.

Lo que más valoro es la colección de libros que he logrado formar en mi encierro, unos trescientos. Algunos míos, de siempre, y otros que me han hecho llegar familiares, amigos y compañeros de la lucha por la reconquista de la democracia en Venezuela. He completado una buena colección cuya lectura ha sido fundamental durante mi reclusión. Casi no echo de menos la biblioteca de mi casa, un espacio muy especial para mí, porque es una foto de referencia, un índice abierto de las cosas que he estado leyendo durante buena parte de mi vida. Ver mis libros me recuerda sus contenidos, sus historias o teorías y puedo relacionar unos y otros, y así ir hilando una comprensión propia de asuntos que han sido de mi interés, ya sea un proceso histórico o

1. En febrero de 2015, Leopoldo López fue desalojado de esta celda y se le decomisaron todos sus libros, papeles y otras pertenencias. Fue trasladado a una celda de castigo de 2 x 2 metros, con un baño, en un anexo para treinta prisioneros, donde permanece en aislamiento desde mayo de ese año, y solo se le permiten tener cuatro libros.

alguna de las teorías importantes en el desarrollo humano, o de algún fenómeno natural o social.

Por razones de espacio, mi colección está apilada, con los libros ordenados de manera horizontal, uno encima del otro. No fue hecho así a propósito, pero luego me di cuenta de que ese orden permite leer con facilidad los títulos en los lomos y, de esa forma, cada título es una ventana, o varias ventanas, hacia la imaginación. Ejercitar esa creatividad, la imaginación, es un ejercicio de libertad que reafirma la libertad del alma, del espíritu, a pesar de estar preso.

Las paredes de la celda tienen cicatrices extrañas, parecieran indicar que fue antes un tigrito, un sitio de extremo aislamiento, de castigo. Guardan frases, nombres, fechas y, sobre todo, referencias a Dios. Más que escritos, son voces incrustadas en las paredes como resultado de una paciente labor con una navaja, una punta de cabilla o una simple piedra. Las paredes son de un amarillo cremoso, color natilla, y la superficie es de cemento salpicado, lo que la hace rugosa e incómoda para recostarse en ella. El techo es elevado, diría que tiene unos cuatro metros de altura, y hay una ventana enrejada con barrotes negros y cubierta con planchas de acero. Es relativamente pequeña y está a unos tres metros del piso. No obstante, no alcanzo a ver hacia el exterior porque es muy alta. Durante los primeros cuatro meses, hasta junio de 2014, esa ventana estuvo cerrada con unas planchas de latón, y quitaban toda luz natural a la celda. Luego de reclamar cada semana por la violación a mi derecho a tener luz natural, después de cuatro meses a oscuras, removieron las planchas en la ventana. Fue mi primer logro.

Además de libros, tengo varias imágenes religiosas. Aunque no soy muy devoto de las imágenes, entiendo su significado como una referencia para la imaginación y tan importante para la oración. Tengo de Jesús y los apóstoles. Tengo una Virgen de Coromoto, una imagen grande que tenemos en la casa desde el día de nuestro matrimonio, esa imagen me la trajo Lilian en los primeros tiempos de estar aquí. Tengo también una estatuilla de José Gregorio Hernández con sombrero negro y bata blanca de médico. Es una imagen que tengo desde 2009 cuando me la regalaron redes populares de Isnotú, en el estado Trujillo.

Una imagen de Cristo redentor, la imagen de Jesús resucitado, con un manto blanco, un mecate en la cintura y dos rayos desde su corazón, uno azul y otro rojo que simbolizan el amor de Dios como premisa. Una Virgen de las Mercedes, con las esposas abiertas que la identifican como la patrona de los presos, y un san Miguel Arcángel. Las tengo todas juntas encima de una viga que está frente a mi cama. Están en el orden que las menciono. Entre esas imágenes he colocado una pequeña muñeca de Lego, una sirenita con una estrella de mar que le regaló a Manuela, mi hija mayor, un teniente que vino de comisión a la custodia. Manuela siempre la busca y la usa con una lata de arena que guardo para hacer castillos con ella y con su hermano Leo.

El baño es pequeño, con instalaciones y tuberías bastante viejas. Se ha inundado varias veces. En la regadera mantengo dos tobos que trato de tener siempre llenos en caso que se vaya el agua, algo que pasa casi todos los días. Hace dos meses pasamos treinta días sin agua. No venía, y si lo hacía, era por diez minutos al día. Cinco minutos para llenar los tobos y lavar los platos y cinco minutos para bañarme. En el baño tengo una repisa que uso para el germinador de las siembras de caraotas con papel que he hecho varias veces con Manuela.

A pesar de las limitaciones del encierro, valoro infinitamente el poco tiempo que puedo pasar con mis hijos Manuela y Leopoldo Santiago. Leo es todavía muy pequeño y no comprende la situación que vivimos. En cuanto a Manuela, trato de entretenerla y educarla creativamente. Hacemos experimentos, inspección de insectos, dibujos de los planetas y pájaros. A los dos nos gustan mucho los pájaros.

Al mes de estar aquí, para complacer a Manuela, se nos ocurrió hacer un mural. Antes de una visita familiar pinté de blanco un cuadrante de un metro por dos y, cuando vinieron, le dijimos a Manuela que pintara un mural. Lo primero que pintó fue una bandera de Venezuela con ocho puntos blancos en la franja azul, luego pintó a la familia: primero, dibujó a Lilian; luego, a mí; se dibujó ella y, finalmente, a Leo. Pintamos flores, el sol y unas nubes y rematamos la primera obra de arte con nuestras manos llenas de pintura plasmadas en el mural.

Ese mural ha sido para mí un regalo invalorable, una inspiración y un soporte emocional en los peores momentos. Durante dos meses de total aislamiento, puse la mesa y la silla justo enfrente del mural. Era y sigue siendo una ventana de felicidad, una ventana directa a mi familia que ha sido un inmenso apoyo durante todos estos meses.

Ese primer mural sirvió de inspiración para un segundo. Le pregunté a Manuela qué quería dibujar y me dibujó un árbol. Entonces busqué una foto de un samán y dibujamos uno bien grande en la pared, con muchas ramas. Me había llegado un libro de pájaros de Venezuela y decidimos recortar los pájaros y ponerlos en las ramas del samán. Allí están todos, gavilanes, alcaravanes, garzas, águilas, loros, pericos, búhos, guacamayas, carpinteros, cóndor, caricari. El juego que hacemos es de memoria de los pájaros y así ha venido conociendo las aves de Venezuela.

Al lado del árbol tengo una pizarra blanca de acrílico en donde llevo el seguimiento de la rutina. Allí plasmo mi horario y el cuadro de seguimiento diario de las actividades y cosas que debo recordar. Siempre me ha gustado tener una pizarra en mi sitio de trabajo y aquí me ha sido de mucha utilidad para mantener y forzar cierta autodisciplina.

Los pájaros del samán brincaron y caminan por la celda. El Día del Padre, el tercer domingo de junio en Venezuela —ese año 2014 fue el domingo 21—, Lilian venía con Manuela y Leo. Sin embargo, como llegaron al mediodía, tuvieron que esperar hasta las dos de la tarde y aprovecharon para ir al mercado que está en la entrada de Ramo Verde, el mercado municipal de Guaicaipuro. Entraron en un puesto de alimento de mascotas donde tenían unos pericos. Manuela le pidió a su mamá que me los trajeran a la celda. Así fue, a las dos de la tarde se aparecieron con una jaula y dos pericos. «Papi, para que no estés solo, no los tienes que tener en la jaula, se la abres y ellos caminan y te acompañan.» Siempre me han gustado los pájaros. Hace unos años tenía un loro real, un tucán y dos guacamayas, así que estos pericos han sido una buena compañía. Los primeros dos se fueron una mañana mientras rezaba, los vi alcanzar la ventana y allí se lanzaron a volar. Me quedan cuatro pericos australianos, dos verdes y dos amarillos.

Es increíble, pero de tanto observarlos he podido descubrir rasgos de personalidad de unos y otros. Como buenos pericos son bulliciosos. En la mañana, a las seis y media, y en la tarde, desde las cuatro y media, pasan bandadas inmensas de pericos, sobrevolando la prisión y silbando, a lo que estos les responden como si fueran parte de ellas. Cuando pongo música, especialmente si es música venezolana, se ponen a silbar en distintas tonadas y al máximo volumen.

Si de animales en la celda se trata, también estuve unos diez días cazando a una rata. Lo primero fue detectar las evidencias de sus visitas nocturnas. Caramelos comidos en una esquina y una bolsa de chocolate deshecha fueron las evidencias definitivas. A los cuatro días de observación llegué a verla, estaba debajo de la neverita. Cuando la moví y le puse la linterna en la faz, se quedó paralizada. Me impresionó su tamaño, era de veinte a treinta centímetros de largo, sin incluir la cola. A los segundos dio un brinco y salió entre los barrotes de la reja de la celda. Venía y seguiría viniendo, así que busqué veneno faltando unos días antes de que llegara, y cuando llegó...

En una pared también tengo el mapa de Venezuela. Un mapa topográfico con carreteras, pueblos y ciudades. Es un mapa grande que incluye las aguas territoriales hasta Isla de Aves. El mapa ha sido una guía para hilar más de cinco años de intenso viajar por el territorio de nuestro país. Lograr que me permitieran tener el mapa en mi celda fue todo un proceso. El primero lo trajo mi padre a Ramo Verde el 22 de febrero, fue un mapa que compró en una librería y que mostraba vías terrestres, campos petroleros, oleoductos y refinerías, pero ese mapa nunca llegó a mi celda. Un día después, el 23 de febrero, Maduro apareció en la cadena nacional mostrando el mapa y afirmando que era una evidencia de que yo estaba planificando un atentado terrorista contra las instalaciones petroleras del país.[2]

2. Las declaraciones de Maduro pueden verse en <http://dai.ly/x1d72ds>.

Ahora, que he tenido más tiempo para contemplar con calma el mapa de nuestro país, puedo recrear las carreteras, pueblos, barrios, ríos (y mangas de coleo) que he recorrido por todo el territorio nacional. Me llena de satisfacción, de orgullo, haber visitado tantos pueblos, puntos innumerables sobre el mapa que ahora contemplo, y haber compartido con el alegre pueblo venezolano, mis compatriotas, de manera franca y espontánea. Una de las fuerzas que me anima es la seguridad de que volveré a recorrerlos uno a uno, a convocar a nuestro pueblo a construir una Venezuela libre, nueva, sin exclusiones, con todos los derechos para todos los venezolanos.

Las pocas conversaciones que he podido tener aquí han sido con militares y uno de los temas más recurrentes de lo que hablamos es de geografía. Del país, de los ríos, carreteras... si algo tienen los militares en Venezuela es el conocimiento geográfico del país. Han estado y recorrido buena parte del territorio e, igual que a mí, a muchos les gusta conversar sobre las características de cada sitio.

El mapa también lo he usado de referencia cuando hablo de historia de Venezuela o su literatura. El cajón del Arauca de doña Bárbara y territorio de los lanceros de Páez, donde hoy está mi amigo Lolo Blanco. Fue allá en Cunaviche donde dejé la manga con una efectiva «filo de lomo». Cunaviche que fue la reserva donde los patriotas llevaban a sus familias y tenían animales y caballos. Payara, donde Bolívar y Páez se encontraron y donde naciera Pedro Camejo, nuestro Negro Primero.[3]

Es en este espacio, con las ventanas de barrotes y otras imaginarias, desde los libros, el mural de Manuela, el mapa de Venezuela (otro que sí llegó a mis manos), en que he pasado los últimos ocho meses de mi vida. Ahora, el espacio es lo que está allí, pero lo más importante ha sido el qué hacer, cómo manejar el tiempo, cómo ganarle al tiempo la batalla, cómo vencer la desesperanza.

3. Cajón del Arauca de doña Bárbara: tierras ubicadas entre los ríos Arauca y Capanaparo, donde transcurre la acción de la novela *Doña Bárbara* (1929), de Rómulo Gallegos, protagonizada por una terrateniente hecha a sí misma. Lanceros de Páez: grupo de 153 lanceros, a las órdenes de José Antonio Páez, prócer de la independencia venezolana, que en la batalla de las Queseras del Medio (2 de abril de 1819) derrotó a un gran ejército español. Lolo Blanco: José Gregorio *Lolo* Blanco, miembro del partido Voluntad Popular. Cunaviche: localidad del estado Apure, en el interior de Venezuela. Filo de lomo: la coleada o maniobra más celebrada por los aficionados, cuando el animal da la vuelta sobre su lomo y queda con las patas hacia arriba. Payara: el primer encuentro entre Simón Bolívar y José Antonio Páez tuvo lugar en San Juan de Payara (30 de enero de 1818) y allí decidieron unir sus fuerzas contra el dominio español. Negro Primero: Pedro Camejo (1790-1821), primer militar negro en el ejército de Bolívar y uno de los lanceros que luchó en la batalla de las Queseras del Medio, cayó en la batalla de Carabobos (24 de junio de 1821).

5

LA LIBERTAD:
NI CON UN CANDADO DE UN KILO

En mi celda tengo varias imágenes que me acompañan en mi cautiverio. Desde los primeros días le pedí a Lilian imágenes y fotos que tenía en mi oficina de Voluntad Popular. No pasaron las fotos, pero dejaron pasar unas hojas con imágenes de frases: eran los pendones que utilizamos en nuestro congreso ideológico en diciembre de 2013. Llegaron las fotocopias en hojas pequeñas: Nelson Mandela, Mahatma Gandhi, Martin Luther King, la madre Teresa de Calcuta, Simón Bolívar, José Antonio Páez, Rómulo Betancourt y Leonardo Ruiz Pineda.[4]

4. Rómulo Betancourt (1908-1981) fue presidente de los Estados Unidos de Venezuela (1945-1948) y presidente constitucional de la República de Venezuela (1959-1964). Leonardo Ruiz Pineda (1916-1952) fundó el partido Acción Democrática y fue el máximo dirigente de la resistencia clandestina socialdemócrata (1949-1952) contra la dictadura de Marcos Pérez Jiménez.

Decidí pegar las imágenes en la reja, en la parte que da hacia adentro. La reja de mi celda es un pelín grande, tiene tres hileras de barrotes de cabillas de calibre grueso. Y en el medio tiene un planchón soldado y reforzado donde va el cerrojo, que cuenta con un candado de un kilo.

Pongo las fotos en el planchón, son imágenes que me inspiran. Muchos de ellos sufrieron la cárcel y la persecución por sus ideas y discursos. Son historias que hago mías en el momento en que estoy pensando en mi propia historia. Lo hago con humildad para tomar las lecciones, las reflexiones sobre lo que significó la cárcel para estos gigantes de las luchas por la libertad, por todos los derechos para todas las personas y democracia plena.

Para Mandela la cárcel fue una vida entera: veintisiete años preso por sus ideas y su accionar contra el *apartheid*, bajo el principio de la no violencia. Luego de veinte años en prisión comienzan los contactos con el régimen, y dos años más tarde se le excarceló y le fue concedido el arresto domiciliario. Finalmente sale en libertad como señal, la más clara, de que el final del oprobioso régimen sudafricano, fundado en la discriminación y exclusión en función de la raza, estaba a la vuelta de la esquina. El rumbo o destino de ese cambio no estaba claro, podía ser un régimen de las mayorías negras basado en la venganza y pases de factura o podía ser un avance democrático en donde todos podrían convivir respetando la voz de la mayoría.

Salió en libertad, y Frederik de Klerk, quien era el primer ministro de Sudáfrica y el principal promotor de una transición, convocó a unas elecciones, en donde él se mediría pero sabiéndose claramente perdedor. Ambos recibieron el premio Nobel de la Paz en 1993.

Al presidente De Klerk tuve la oportunidad de conocerlo en el Fórum 2000, un encuentro creado por el gran líder checo Václav Havel en Praga. En esa conversación fue interesante escuchar la otra versión de cómo se dio la liberación de Sudáfrica. La versión de Mandela es conocida y representa la gran hazaña moral y democrática. La óptica de De Klerk refiere cómo se tomaron las decisiones desde el poder. El sistema se había hecho inviable por muchas razones. En el plano externo, el Muro de Berlín había caído, con ello la Guerra Fría había dejado de ser una excusa para que los países occidentales miraran hacia otro lado y la presión de la opinión mundial era muy fuerte. En el frente interno, la fuerza de las protestas no violentas y violentas era demasiado poderosa. La figura de Mandela estaba presente en todos los aspectos de la vida en Sudáfrica y las mayorías tomaron la campaña pro-Mandela y anti *apartheid* como propia.

En Venezuela y América, la figura histórica del siglo pasado que más admiro es, sin duda, la de Rómulo Betancourt, el padre de la democracia. Perseguido y maltratado por las dictaduras desde que era un adolescente;

privado por esa razón de disfrutar de la compañía de su familia, de completar sus estudios universitarios no obstante ser poseedor de un poderoso intelecto —que bien cultivó, por cierto—; con suficientes argumentos para ser un resentido político, tomó sin embargo el camino de la reconciliación y de la convivencia democrática.

Siempre leí con atención todos sus escritos y discursos. Recuerdo en particular una entrevista que vi en un documental sobre su vida. Le pidieron que recordara el momento de mayor trascendencia y, para mi sorpresa, refirió que había sido con ocasión de las elecciones a la Asamblea Nacional Constituyente de 1946, celebradas el 27 de octubre de ese año. Eran las primeras elecciones universales, libres y secretas de la historia del país. Desde la víspera experimentó una gran intranquilidad pues faltaba el elemento crucial que pondría a prueba su proyecto democrático: el respaldo popular, la concurrencia de los ciudadanos a votar. La intranquilidad se le transformó en la más profunda emoción a medida que recibía los reportes de las enormes colas de venezolanos en las mesas de votación de todo el país.

El proceso democrático se había materializado y comenzado a andar su largo e irreversible camino. El dictador Pérez Jiménez intentó detenerlo y fue derrotado. Igual suerte correrán los dictadores del presente. Nada podrá detener al pueblo venezolano en su decisión de convertirse en una sociedad libre y democrática.

6

FE, LIBROS Y BOXEO[1]

Desde que llegué a Ramo Verde entendí que mi principal terreno de lucha estaba en mi estado de ánimo y en mi mente. Si yo estoy bien, mi familia está mejor y mi equipo político está más motivado y claro; si decaigo en ánimo, eso afectaría a mi familia y preocuparía a mi equipo. Por lo tanto, mi prioridad es aprovechar cada día, hacer de cada día una oportunidad para crecer, una oportunidad para estar más fuerte, más sereno.

Me despierto a las cinco de la mañana, tiendo la cama, me lavo la cara, monto un café y me siento a orar, a hablar con Dios, con Jesús, a ejercitar la ora-

1. La rutina que Leopoldo describe en las notas incluidas en este apartado protagonizó su estancia en Ramo Verde desde mediados de 2014 hasta el 13 de febrero de 2015, cuando todo cambió y fue recluido en una celda diminuta y en régimen de aislamiento.

ción como una conversación íntima, fluida, no mecanizada. Escucho con atención los ruidos que vienen del ambiente externo, los pájaros que comienzan a cantar, los pitos de los entrenadores de tropa, los gritos de los oficiales y el silencio. Luego leo el *Pan Diario de la Palabra*,[2] las lecturas y el evangelio que acostumbramos a leer los católicos todos los días. Es una lectura simultánea de millones de creyentes. Es lo que se llama el ciclo de la liturgia. El ciclo es de tres años durante el cual se lee toda la Biblia. Es una lectura diaria y guiada. Además de las lecturas hay un comentario que la acompaña, que en la versión que tengo publicada por la editorial Paulinas es pedagógico y sencillo.

Mi compadre Jorge Viera fue quien me introdujo en ella. Jorge ha sido amigo desde siempre, fue mi director general en la alcaldía de Chacao durante seis años y es una gran persona. En Chacao llegó a ser una especie de leyenda de gerencia, de eficacia y de solución de problemas. Gracias a él y al equipo profesional y comprometido que nos acompañó es que pudimos alcanzar las ambiciosas metas que nos propusimos.

Jorge, además de buen amigo, excelente gerente y buen deportista, es un hombre creyente. Tiene una gran fe y es disciplinado en la oración. Durante los primeros días de estar aquí me envió con Lilian los libros

2. Publicación mensual que contiene todos los textos de la Eucaristía diaria y una reflexión sobre las lecturas correspondientes.

correspondientes al mes de febrero y marzo del *Pan Diario de la Palabra*, llegaron a mis manos con una nota: «Lee la palabra todos los días que te hará más fuerte».

Y así comencé a rezar todos los días leyendo la Palabra y rezando algunas oraciones. Fue después de unas semanas que recordé un libro sobre san Ignacio de Loyola que había leído durante mi clandestinidad, y recordé su propuesta de oración que llamó *Ejercicios espirituales*. Casualmente, una semana después mi amigo y antiguo compañero de trabajo en Petróleos de Venezuela S. A. (PDVSA), Osmel Manzano,[1] me envió un libro titulado *La expedición espiritual*, una guía para los ejercicios espirituales. A Osmel tengo años sin verlo, pero siempre leo sus escritos sobre economía y petróleo. Luego de PDVSA se fue al Massachusetts Institute of Technology (MIT), donde sacó un doctorado en economía y luego se ha dedicado a la investigación. Ya tenía una guía en la mano sobre los ejercicios espirituales y comencé, con el acompañamiento del padre José Antonio, los ejercicios de oración.

Leer la palabra de Dios y entrar en oración me ha dado mucha fuerza. Primero, porque me ha ayudado a poner en contexto lo que significa estar preso por las convicciones, por la palabra; y segundo, porque ha sido la ventana para salir de esta celda. Mi cuerpo se mantiene preso, pero mi alma y mis pensamientos

1. En la actualidad, Osmel Manzano es asesor económico en el Banco Interamericano de Desarrollo y profesor adjunto en la Universidad de Georgetown.

vuelan en libertad. Esto lo digo porque es genuinamente así; así me siento, libre, libre en espíritu y mente, y ha sido ese sentimiento de libertad lo que le ha venido dando sentido a este largo y tortuoso proceso de prisión y aislamiento.

A las seis y cuarto de la mañana, bajo a hacer ejercicios. Al principio, los primeros meses me bajaban solo, escoltado por la custodia militar hasta la cancha. Al terminar, a un cuarto para las siete, entraba, también en solitario, alguno de los compañeros en el anexo. Después de varios meses de lucha, desde el mes de julio de 2014, hemos podido compartir esa hora, aunque siempre con un funcionario de la DG-CIM que nos acompaña. Ahora en lugar de ir al patio, voy al gimnasio, que, gracias al apoyo de algunos amigos deportistas que hicieron generosas donaciones, pude ayudar a montar con buenos equipos. Desde que llegué siempre había hecho boxeo de sombra y saco, pero no había tenido la oportunidad de guantear con nadie. Por casualidad, el teniente Berroterán, un procesado militar a quien pusieron en la celda de al lado, en un tigrito como castigo, y luego dejaron allí de manera permanente, es boxeador. De hecho compitió en los juegos militares representando al Ejército. Al tiempo pude enterarme que no fue ninguna casualidad que pusieran al lado al teniente Berroterán, ni tampoco que fuera boxeador. Resultó ser un funcionario de inteligencia. Con él boxeo durante una hora, calentamos, luego tres o cuatro *rounds* libres, luego tres o cuatro de ejercicios de guanteo y tres de saco. Hacemos algo de ejercicio y nos dan un cuarto para las ocho de la mañana, hora de regresar. A partir de esa hora me dedico a limpiar, desayuno, leo la prensa y me dan las nueve y media. Viví muchos años por mi cuenta. A los dieciséis años recién cumplidos, me fui de mi casa a una escuela internado, luego vino la universidad y el posgrado en Harvard. En total pasé nueve años viviendo solo, desde el inicio de mis estudios hasta que me casé con Lilian en 2007. Así que tengo buena experiencia en la rutina de los quehaceres del hogar.

Pero aquí en la cárcel la labor de la limpieza es algo más que limpiar. Es parte de la rutina. Barrer —es increíble la cantidad de polvo que se acumula a diario—, luego una coleteada, limpiar el baño a fondo y ordenar. Es una parte importante de la rutina diaria. Poner las cosas en orden y mantener la limpieza.

Limpiando me llegan las diez en punto y me dedico a lo que llamo mi primer bloque de lectura. Las divido en bloques para poder ordenar las cosas, temas y libros que voy leyendo. Hasta al mediodía me dedico a leer según el plan de lectura que he venido siguiendo.

LAS VISITAS

Uno de los momentos que más valora una persona encerrada en una celda es el momento de ver a sus seres queridos, familiares y amigos. En nuestro caso, el de los presos políticos en Ramo Verde, esas visitas son limitadas a nuestros familiares directos, y esto de directos es a discreción del director de la prisión.

Mi familia me ha acompañado con sus visitas, con su afecto; se ocupan de mis alimentos, de mis necesidades básicas. Confieso que el estar separado de mis hijos y no poder compartir con ellos a plenitud su crecimiento ha sido una enorme tristeza que he buscado compensar con las visitas, que tratamos de hacer especiales para ellos. Lilian viene a Ramo Verde todas las semanas, y me visita con Manuela y Leopoldo Santiago cuando las autoridades se lo permiten. Mi madre también me visita con regularidad, está pendiente de mi salud y de traer a mis hijos cuando Lilian no puede venir con ellos. Mi padre[2] y mi hermana Diana se de-

2. El padre de Leopoldo López, Leopoldo López Gil, vive exiliado en Madrid desde abril de 2015. Sobre él pesa una orden de captura por la demanda por «difamación agravada continuada» que Diosdado Cabello presentó contra los directivos de varios diarios, entre ellos *El Nacional*, de cuyo consejo directivo forma parte López Gil. En diciembre de 2015 el Gobierno español concedió la nacionalidad española a López Gil y a su mujer, Antonieta del Coromoto Mendoza, para «refozar sus garantías democráticas ante la persecución política y judicial que sufren a consecuencia de la situación de su hijo».

dican a buscarme libros, que puedo decir que me han ayudado a pasar las interminables horas combatiendo el tiempo con variadas y enriquecedoras lecturas. Mi suegra, Lilian Parra, siempre me ha ayudado a fortalecer mi fe, ya que es una mujer que cree en la oración; además, me ha intentado enseñar a tocar el cuatro, y ese encuentro con nuestra música popular ha sido una fuente de alegría.

Diana, quien ha dedicado su vida al estudio y la promoción del arte y la cultura en nuestro país, en esta oportunidad se ha convertido en una maestra. Ella nos ha convencido con entusiasmo a Daniel y a mí de que podemos pintar; muchas veces llega a Ramo Verde cargada de cuadernos de dibujo, manuales, carboncillos y pinturas. Durante estos meses he trabajado en un diario visual de la prisión y los calabozos del Palacio de Justicia. Tambien he pintado fauna y flora venezolana, especialmente aves, como símbolos de libertad. En las largas horas de soledad me distraigo pintando murales de paisajes de los llanos, los andes y la selva amazónica en las paredes de mi celda, y cuando llegan mis hijos se asombran al encontrar estas imágenes.

La vida en nuestra familia cambió profundamente a partir de mi injusta detención; sin embargo, nos sentimos unidos ante esta adversidad, compartimos el sentir de este sacrificio por nuestro país. El 7 de febrero de 2015, el director del penal, el coronel Miranda, aupado por mis carceleros del alto gobierno, impidieron que me visitara mi hermana menor, Adriana, a quien no había podido ver durante esta larga prisión, ya que ella vive en Estados Unidos y recientemente dio a luz a su cuarto hijo, Simón. El coronel Miranda se burló de mi madre cuando fue a pedir compasión ante la injusta situación que no le permitía el derecho a la visita; ante su llanto de madre desesperada y agobiada la respuesta fue una negativa cargada de odio y cinismo, de quien disfruta del dolor ajeno. Sentí frustración en mi corazón, pero sé que es otra prueba más en mi camino y también una prueba para mi familia. Posteriormente pude ver a Adriana, en otra ocasión, cuando finalmente le permitieron verme después de una larga requisa.

Otras visitas que recibo son las de mis abogados, quienes llevan adelante la defensa de mi caso, denunciando los innumerables vicios procesales en el juicio. Juan Carlos Gutiérrez, un abogado muy lúcido con gran dominio de las leyes, lidera la defensa demostrando compromiso con la justicia y los derechos humanos a pesar de todas las adversidades. Él me acompañó cuando le di la cara a la injusticia el 18 de febrero de 2014 y desde ese momento he contado con su apoyo incondicional como profesional y amigo. En el equipo de abogados también están Roberto Marrero y Gustavo Velásquez, quienes han demostrado un enorme compromiso en esta causa.

PRENSA Y CONVERSACIÓN

La prensa nos la trae todos los días Manolo Blanco. Manolo es concejal de Carrizal —un municipio del estado Miranda— por Voluntad Popular, lo conocí hace años y es un líder que desde joven se ha dedicado al trabajo social. Todos los días, sin falta, viene Manolo en su moto y nos trae la prensa, una arepa y de vez en cuando un golfeado con queso. Durante los primeros meses que bajaba a la cancha en la mañana, lo observaba pasar en la moto, a cuatro rejas de distancia, pero desde que no bajamos a esa hora al patio no lo he vuelto a ver. No obstante, la prensa llega puntual, cada mañana.

Tengo el hábito de leer toda la prensa, todos los días. Bueno, toda la prensa... me refiero a la que se consiga en el quiosco o panadería en la cercanía. La prensa escrita tiene varias lecturas y es por eso que me gusta leer más de un periódico, aquí leo trece, entre diarios y semanarios. La primera lectura es la noticia en sí misma, luego la línea editorial de cada periódico según la importancia que le dan a cada noticia y comparando unos con otros las omisiones o censura de algunas noticias. Luego está la lectura de las opiniones y de las caricaturas que logran captar en una imagen la noticia, llevada a una expresión artística. Leo la prensa casi completa, desde deportes, farándula, fotos, noticias, internacionales y, recientemente, hasta resuelvo una que otra sopa de letras y algunas palabras en el cruci-grama (también resuelvo sudokus y, con Daniel, hacemos competencias a ver quién los termina primero). Al terminar de leer, recorto artículos y caricaturas, y se las hago llegar a otros compañeros de la cárcel.

Del mediodía a las dos de la tarde, preparo el almuerzo y trato de tocar el cuatro o pintar. Antes de almorzar hago algo de ejercicio, unas planchas, abdominales y, luego de almorzar, manguareo un rato. Desde que abrieron el pasillo, puedo salir a recorrerlo y hablar con los compañeros de piso (siempre en el pasillo vigilado por dieciséis cámaras) y, de vez en cuando, nos permiten a Daniel, Enzo, Salvatore y a mí almorzar juntos.

Desde mediados de julio de 2014 nos permiten, a quienes estamos en el anexo, bajar a la cancha de cinco a siete de la tarde. Aprovechamos para jugar básquet y futbolito. Esos ratos, amén de permitirnos esa camaradería que se da entre quienes practican algún deporte, nos ha permitido mejorar su práctica, aunque hay mucho que corregir.

A las siete de la tarde nos permiten ir donde están los teléfonos públicos y hacer la llamada diaria. Claro, la llamada es a tres orejas ya que la DGCIM graba y revisa todo. De hecho, Enzo no creía que esto era así, pero un día llegaron a mi celda con una sanción de quince días de aislamiento total por haber realizado una llamada de contenido político. De hecho, fue una llamada con Luis Florido[3] en donde hablamos algunas cosas relacionadas

---

3. Luis Florido, uno de los fundadores de Voluntad Popular, era en ese momento dirigente nacional de este partido en el estado Lara.

con la organización del partido, nada oscuro. Por esta llamada me aislaron quince días. Enzo seguía sin creer que grababan, hasta que un día salió una conversación de él en uno de esos programas de Venezolana de Televisión (VTV) —la cadena pública que emite las veinticuatro horas— diseñados para ofender a las personas que se oponen al régimen. A Daniel también lo aislaron quince días por una llamada de «contenido político». Asimismo, sin vergüenza, con cara de tabla, como dicen, establecían sanciones por violar la ley y nuestra privacidad. Graban todo sin pudor ante las leyes y la Constitución que lo prohíben. Pero como ocurre en la Venezuela de hoy, eso no importa.

Así llego a las siete y media de la tarde. Desde esa hora hasta las nueve trato de dibujar. Me caliento una sopa y dibujo un rato. Después manguareo otro rato, camino, arreglo mis cosas, las reviso y a eso de las once me acuesto.

Más que menos cumplo con estas actividades programadas (cuando la familia viene de visita, la ajusto), pero trato de enfocarme en cumplir a diario con los ejercicios para el cuerpo, la mente y el alma. De hecho, tengo un recuadro en la pizarra de acrílico en donde llevo registro de haber hecho las actividades del día: oración, ejercicio, lectura, escritura, pintura y cuatro. Esa es mi rutina.

En varias ocasiones, cuando el alcalde metropolitano de Caracas, Antonio Ledezma, estuvo preso injustamente acá en la cárcel de Ramo Verde —desde febrero a abril de 2015— pudimos compartir Daniel y yo con él. Conversar acerca de las luchas históricas del partido Acción Democrática por instaurar una Venezuela libre; del líder, Rómulo Betancourt, fundador de la democracia venezolana, un hombre de una inteligencia y visión excepcional, un referente en la historia del siglo xx. Antonio nos contó de su experiencia personal al servicio público como diputado y senador de la República y gobernador del antiguo Distrito Capital; él es uno de esos líderes incansables a los que este Gobierno represor les teme, porque reconocen la fortaleza que los impulsa, la vocación de servicio y la convicción democrática.

Al alcalde Ledezma lo detienen brutalmente el 19 de febrero de 2015 en una acción vergonzosa de abuso de autoridad; lo secuestran sacándolo de su oficina en el municipio de Chacao un equipo del SEBIN como si se tratase de un delincuente de alta peligrosidad; un alcalde elegido por la voluntad popular, acusado sin pruebas de estar implicado en una trama para conspirar contra el Gobierno.[4] La única conspiración que existe en Ve-

4. Antonio José Ledezma Díaz (1955), político y abogado, era alcalde mayor del Distrito Metropolitano de Caracas desde 2008. Fue detenido violentamente el 19 de febrero de 2015 en su oficina del municipio Chacao de Caracas y trasladado a la sede del SEBIN. Esa misma noche, Maduro acusó a Ledezma de colaborar en la Operación Jericó, que pretendía derrocar al Gobierno venezolano. Ledezma fue encarcelado en Ramo Verde, donde permaneció hasta el 30 de abril, cuando pasó a arresto domiciliario por razones de salud. Su esposa, Mitzy Capriles, visitó España, Estados Unidos, Chile, Brasil y otros países en busca de apoyos para solicitar su libertad y la de todos los presos políticos. El 16 de noviembre de 2015, la vista preliminar para conocer

nezuela es la que ejecuta a diario la cúpula corrupta que gobierna y que ha desmantelado el Estado de derecho.

A Antonio lo conocí hace muchos años, en el 2000, cuando estábamos en campaña para las llamadas «megaelecciones», y en las que resulté elegido para la alcaldía de Chacao. Desde aquellos encuentros supe de su profundo compromiso con la democracia y el progreso para Venezuela. Su fortaleza es admirable, es de los que se caen y se levantan más decididos, de los que a pesar de las dificultades mantienen la esperanza. No podía dejar de identificarme con él. Años más tarde nuestros caminos se cruzan de nuevo. En el 2008 yo era el candidato para la alcaldía metropolitana, el viento jugaba a favor para la victoria pero el régimen sacó la carta cobarde e ilegal de inhabilitarme. Al no poder ser candidato apoyé a Ledezma, quien a pesar de la campaña deleznable del Gobierno en su contra, logró un extraordinario triunfo para la democracia al ganar esa alcaldía. Pero el régimen no iba a aceptar esa derrota y tomó el camino inconstitucional: desmembraron la alcaldía metropolitana, quitándole presupuestos y competencias. Antonio tuvo la determinación y la capacidad de seguir adelante y liderar una gestión exitosa contra viento y marea y fue reelecto en 2012.

---

la acusación contra Ledezma fue pospuesta, por octava vez y sin razones conocidas, hasta el 10 de diciembre de ese mismo año. Omar Estacio, su abogado defensor, respondió: «El Estado venezolano desacata resoluciones como la orden de Naciones Unidas de liberar a Antonio Ledezma de inmediato».

No fue un año fácil para mí aquel 2008, estaba decidido a expandir nuestra gestión exitosa en la alcaldía de Chacao a toda la ciudad de Caracas. Recuerdo una conversación con Antonio el día que nos reunimos para acordar el apoyo que le iba a dar como candidato. Hablamos de Caracas, de la propuesta para la ciudad: una ciudad segura, incluyente y participativa; lo que no olvido es un consejo que lo llevo conmigo: «Leopoldo, dedícate a recorrer el país, organiza un partido y piensa en la Venezuela que nos tocará construir». Lo sigo haciendo.

Hemos compartido la cárcel por querer la libertad para Venezuela. Se puede llegar a conocer a una persona pero el tiempo compartido en prisión es distinto. En la cárcel no hay máscaras, se conoce a un compañero hasta los tuétanos, para bien o para mal, sabemos de qué estamos hechos en situaciones límites. Y así pude terminar de conocer a Antonio, quien más allá de su venezolana convicción democrática y de su espíritu de lucha, es hombre conciliador, padre, esposo, amigo, gran lector, poeta, conversador y conocedor de nuestra historia. Disfruté especialmente de su gran sentido del humor.

7

LOS RIESGOS DE LUCHAR POR LA LIBERTAD

*La libertad nunca es voluntariamente
otorgada por el opresor; debe ser exigida
por el que está siendo oprimido.*

Martin Luther King

Hoy, 8 de octubre de 2014, recibimos la noticia del pronunciamiento del Grupo de Trabajo sobre la Detención Arbitraria del Consejo de Derechos Humanos de la Organización de las Naciones Unidas (ONU), que solicita a Nicolás Maduro mi liberación inmediata y que sea indemnizado por el Gobierno con un reconocimiento moral.[5]

5. Este Grupo de Trabajo dirigió una comunicación sobre la detención al Gobierno venezolano el 27 de febrero de 2014, que este respondió el 28 de abril siguiente. El 26 de agosto de 2014, durante su 70.º

Es un documento muy completo, con los argumentos presentados por mi defensa y la respuesta del Gobierno, es decir, es el resultado de un proceso contencioso en el que participa el Estado venezolano. El pronunciamiento es la respuesta de la comisión a los argumentos de ambas partes y concluye con la decisión de pedir mi liberación inmediata. Es un reconocimiento a la lucha que emprendimos millones de venezolanos y constituye un mandato de un organismo internacional, creado por un tratado del que el Estado venezolano es signatario, que está legalmente obligado a cumplir.

Es la segunda vez que recibo una decisión favorable y de obligatorio cumplimiento por parte de instancias internacionales. La primera fue la decisión de la Corte Interamericana de Derechos Humanos en 2011 sobre lo ilegal de mi inhabilitación[6] y ahora esta de la ONU. Sin embargo, el propio Tribunal Supremo de Justicia venezolano, apéndice del Ejecutivo y brazo ejecutor de la judicialización de la justicia, ya ha adelantado opinión en casos previos y desconocido la vinculación del ordenamiento jurídico venezolano al derecho internacional. Suya será la responsabilidad de esta grave falta a nuestras

período de sesiones, el Grupo de Trabajo concluyó que la detención de Leopoldo era arbitraria y que debía ser puesto en libertad inmediatamente. El documento final (A/HRC/WGAD/2014/26), que se publicó el 3 de noviembre de ese mismo año, puede consultarse en <http://ap.ohchr.org/documents/dpage_s.aspx?c=203&su=202>.

6. Sentencia, de 1 de septiembre de 2011, del caso López Mendoza *versus* Venezuela. Se puede consultar en <corteidh.or.cr/docs/casos/articulos/seriec_233_esp.pdf.>

obligaciones como sociedad y Estado regidos por el derecho internacional. No obstante, con esta decisión de un órgano de Naciones Unidas me siento más reforzado o, como se dice popularmente, me entra un fresquito.

Esa sentencia me ha permitido tomar la decisión de no asistir a audiencia alguna hasta tanto la jueza del caso, Susana Barreiros,[1] se pronuncie sobre el punto, como lo solicitamos formalmente. Mi negativa a asistir se fundamenta en la obligación que tiene la jueza de decidir sobre la solicitud de liberación inmediata hecha por la ONU. En mi opinión, ha sido acertada la estrategia de no asistir hasta que decidan. Ha quedado en evidencia que lo que buscan es simplemente continuar con el juicio y pasar la página del asunto de Naciones Unidas. Para nosotros el pronunciamiento de la ONU es un hito, representa un antes y un después de todo este proceso de encarcelamiento, juicio y atropellos.

No es lo mismo que nosotros denunciemos la arbitrariedad de la detención y lo injusto del juicio, a que lo haga la máxima instancia de derechos humanos en el planeta. Ese aval y solicitud de liberación de la ONU nos llena de fortaleza y me ha dado un sentido de acompañamiento a nuestra lucha por el cambio que debe ocurrir en Venezuela.

1. Susana Barreiros, jueza de primera instancia de Caracas y encargada de algunos casos de "terrorismo" firmó la condena de Leopoldo. El 12 de septiembre de 2015 fue nombrada por el gobierno venezolano como defensora pública general.

La senda para salir de la dictadura comienza por estar convencidos de que debemos recorrer el difícil camino del cambio, camino incierto y lleno de adversidades cuando se recorre en dictadura. Estoy preso por haber alzado mi voz y convocado a la protesta pacífica. Luego de nueve meses de estar preso, bajo condiciones de aislamiento la mayor parte del tiempo, he afianzado esa convicción de cambiar, de conquistar la democracia.

Nosotros, al igual que otros presos políticos, hemos sido expuestos al extremo de la represión, hemos sido privados de lo más precioso que tiene un hombre solo después de la vida misma, la libertad. Privado como estoy de ese derecho elemental, he aprendido a apreciarlo y a defenderlo. Había leído que la libertad no se aprecia hasta que no se tiene, y es cierto, uno no llega a apreciar la libertad en su justa dimensión hasta que es vulnerada. Y ha sido esta situación de privación de libertad la que me ha convencido más allá de cualquier duda de que el sentido de nuestra lucha debe estar centrado en la conquista de todos los derechos para todas las personas.

La privación de libertad, el encarcelamiento, nos convierte en el centro de la represión, pero también nos lleva a ser la vanguardia de la lucha por la libertad. Estar en esa vanguardia significa traducir en acción la conciencia que tenemos, acción que nos ha llevado a protestar por las aberraciones de este Gobierno, sin perder el objetivo que queremos alcanzar: la conquista de la democracia para los venezolanos, todos los derechos para todas las personas. Hay mucho contenido en esta frase que constituye la razón de ser de nuestros esfuerzos y desvelos.

Estando aquí, preso y aislado, ratifico mi más profunda convicción de luchar contra este sistema represivo, ineficiente, corrupto y antidemocrático que se ha construido a lo largo de más de tres lustros. La ruta que hemos propuesto es la del desmontaje de ese sistema por la vía popular y constitucional que representa una constituyente en la que participen todos los sectores de la vida nacional. Una constituyente que produzca una Constitución que no sea un traje a la medida de un grupo o parcialidad política, sino un reflejo fiel de lo que somos y aspiramos como pueblo.

Una constituyente sería el lugar de encuentro perfecto para que todos los venezolanos y sus respectivas concepciones filosóficas confluyan después de este largo desencuentro y dolorosa fractura. Un nuevo pacto constitucional es, por otra parte, la mejor garantía de que la restauración democrática no se desvíe hacia la venganza, no se convierta en un pase de factura a quienes han detentado el poder a lo largo de estos años. Por el contrario, nuestra propuesta es un llamado a los venezolanos a construir un nuevo tramado institucional transparente, en el que haya espacio para todos y, sin exclusiones, todos reciban los beneficios de la democracia.

Estar a la vanguardia no es un esnobismo y mucho menos si se pretende estar en ella desde la prisión. Estar a la vanguardia es tener una visión clara de hacia dónde vamos y asumir los riesgos para llegar allí. Este asunto de asumir riesgos es fundamental para enfrentar la dinámica de la lucha. Veo que hay muchos dirigentes que no están dispuestos a asumir riesgos, y por lo tanto sus acciones se mantienen dentro de la dinámica perversa que, aun cuando su intención está muy lejos de ser esa, tiende a preservar el actual régimen. Si no hay disposición a asumir riesgos, será muy difícil lograr que se dé un proceso de cambio profundo.

No podemos, dadas las circunstancias que vivimos, asumir una timidez paralizante y mediocre que impida que la oposición en su conjunto sea de manera creíble una opción de cambio. Ni mucho menos ser presa de un miedo paralizante al momento de tomar decisiones que impliquen riesgos, que desafíen la dictadura y nos permitan avanzar en la lucha. Ese temor nuestro y la administración del terror por parte de Maduro, Cabello y su régimen han sido elementos fundamentales de su permanencia en el poder. Si no logramos derrotar ese miedo, no tendremos la capacidad de concebir y liderar un proceso de cambio.

Este proceso me ha llevado a pensar mucho sobre la naturaleza de una lucha no violenta. Algunos compañeros en la oposición, por temor o ignorancia, piensan que la lucha no violenta es pasiva, es contemplativa, es complaciente. Todo lo contrario. Los más importantes referentes de la política de no violencia, Gandhi, Mandela, Luther King, han sido figuras profundamente irreverentes y desafiantes del estatus, incluso han sido promotores de un desafío a algunas de las convicciones y liderazgos dentro de sus propios movimientos. La no violencia es irreverente y desafiante, es una forma de lucha que también está llena de riesgos por su naturaleza rebelde.

Aquí en Ramo Verde hemos tenido que entender eso por la fuerza. Nuestro sentido de la dignidad, y la vocación de ser libres, aun en el más perverso régimen carcelario, nos ha traído por una parte más castigo y aislamiento, pero, por otra, nos ha dado un mayor sentido de libertad. Estamos presos, pero somos libres. ¿Qué quiere decir eso? Que nuestros cuerpos están encarcelados, pero nuestra alma y nuestras convicciones están libres. Esta manera de asumir la prisión nos fortalece, es la fuente de nuestra libertad. Somos libres, nuestro espíritu está libre y cada día más fuerte.

El modelo de sociedad que deseamos para nuestro país debe estar fundamentado en la libertad. Y la libertad en una sociedad democrática no es otra cosa que la posibilidad de que todos los derechos sean para todas las personas. Esta premisa, esta idea de que todos los derechos deben ser para todas las personas, es una guía que repito y cito con frecuencia, y en ella se resume la razón de ser de nuestra lucha.

¿Qué es la libertad? Es la posibilidad que debe tener cada individuo, que conquista cada uno de sus derechos humanos, sociales, económicos y públicos, de ejercerlos y disfrutarlos plenamente. Y ¿qué es democracia? ¿Cómo entendemos el tipo de democracia que queremos para Venezuela? La respuesta es un sistema que promueva, permita y garantice que todos los derechos sean para todas las personas. No me cansaré de repetirlo.

Un sistema democrático fundamentado en esa idea base de todos los derechos para todas las personas exige que se cumplan tres condiciones fundamentales. La primera es contar con un Estado eficaz en el cumplimiento de su deber, es decir, una educación que eduque, un sistema de salud que cure, un sistema de seguridad social que proteja, una policía que cuide, una justicia que sea justa. El segundo requisito es un sistema de justicia que impida que nadie no sea dueño de sus derechos, la justicia entendida como la garantía de que nadie quede excluido de sus propios derechos. La tercera condición es tener ciudadanos y organizaciones sociales que estén dispuestos a la defensa permanente de sus derechos. En esta última condición entra el derecho a la protesta, derecho que ejercemos aquí en prisión todos los días.

LA PROTESTA

Hay momentos en que la protesta se lleva a un punto en el que hay consecuencias, persecución y castigo. Es en ese momento cuando nos encontramos cara a cara con nuestra decisión de disentir y protestar. ¿Tiene sentido la protesta? ¿Vale la pena el castigo asociado? ¿Hacemos algo protestando nosotros solos?

Hace un mes, a mediados de septiembre de 2014,

tuvimos un incidente que elevó los niveles de tensión en nuestra relación con la custodia. Enzo Scarano, quien está enfermo y requiere atención médica, e incluso una intervención quirúrgica, fue al hospital militar el domingo 14 y los médicos tratantes hicieron un informe de su estado. El informe se lo entregaron al coronel Homero Miranda, director de Ramo Verde desde el pasado mes de julio, quien debía entregarlo a Enzo para que lo pudiese ver y analizar con sus médicos. Pasaban los días y no le entregaban el informe, solo mentiras y excusas, y este no aparecía. El día 17 de octubre, esta situación obligó a Rosa Bradonisio, su mujer, a tomar la decisión de no salir del penal hasta que apareciera el informe. Se quedó encerrada en la celda de Enzo como medida de presión, detenida, según unos, y autosecuestrada, según Diosdado Cabello. Al cabo de tres horas tensas y con algunos intercambios de palabras de por medio, apareció el informe y Rosa pudo salir y regresar. Pero este incidente no quedó allí. Al día siguiente fuimos informados de que seríamos sancionados durante treinta días con aislamiento y restricción de visitas.

Transcurridos unos días, decidimos declararnos en protesta permanente el martes 21 de octubre. Protesta que ejercemos con un barrotazo, es decir, golpeando los barrotes de las rejas, todas las noches puntualmente a las ocho. Cada vez comenzamos con palabras de uno de nosotros dirigidas a todo pulmón hacia la población penal, luego treinta a cuarenta minutos barrotazo y culminamos cantando en coro el himno nacional.

Esa protesta es nuestra respuesta a la arbitrariedad e injusticia de nuestros juicios y nuestro encarcelamiento. Protestamos hasta que den respuesta a la solicitud de la ONU, protestamos por los atropellos a los que somos sometidos aquí en la cárcel y protestamos por la defensa de los derechos de todos los venezolanos. Focalizados en la defensa a nuestros derechos, hemos protestado así durante las noches.

A DIEZ DÍAS DE PROTESTA

El origen de la protesta no es un hecho, sino la acumulación de hechos que se han manifestado en contra de los derechos de cada uno de nosotros, los presos de conciencia.

Desde que llegamos hemos sido víctimas de discriminación y abuso por parte de la custodia militar, muy especialmente desde que el coronel Miranda asumió la dirección del penal. No podemos tener contacto con el resto de los presos, no tenemos acceso a las actividades del penal, somos víctimas de un espionaje y seguimiento permanentes. No podemos conversar entre nosotros si no hay presencia de un funcionario de la DGCIM, nuestra correspondencia es violentada, no hemos sido atendidos ante requisitos de salud, tenemos restricción de visitas y permanentemente hay acciones que buscan denigrar nuestros derechos, que siguen vigentes aunque estemos privados de libertad. De hecho, el único derecho que tenemos restringido formalmente es el de la libertad; todos nuestros otros derechos deberían ser respetados, pero no ha sido así, diariamente nos hemos enfrentado al abuso, al atropello y la imposición de la bota militar. Esa ha sido la situación desde que llegamos, pero durante las últimas semanas se dieron una serie de acontecimientos que nos llevaron a declararnos en protesta permanente.

Toda esta situación de tensión, castigos y violación de nuestros derechos se daba en paralelo al pronunciamiento de Naciones Unidas sobre nuestra detención y la respuesta soez por parte del régimen. El día 8 de este mes de octubre, el Grupo de Trabajo sobre la Detención Arbitraria del Consejo de Derechos Humanos de la ONU se pronunció sobre nuestro caso, señalando que la detención había sido arbitraria, que era evidente que yo estaba detenido por haber ejercido nuestro derecho a la libre expresión y la protesta pacífica y que, en consecuencia, el Gobierno debía proceder de inmediato a nuestra liberación. El pronunciamiento escrito, en el que se resume nuestra denuncia, la respuesta del régimen y las consideraciones del grupo de trabajo fue más que claro, diría que fue un pronunciamiento contundente que reafirmó todas las denuncias que hemos venido haciendo sobre una detención arbitraria, violación al debido proceso y juicio justo y a la violación de nuestros derechos elementales como presos.

Habíamos llegado a una situación límite, tanto en el trato discriminatorio que recibimos en la cárcel, como de verificación de nuestro injusto encarcelamiento y solicitud de inmediata liberación por parte de la ONU.

Hubo un momento emocionante, pues por primera vez en casi nueve meses pudimos ver directamente una manifestación de apoyo. Nuestras celdas, que fueron en algún momento oficinas administrativas, ahora convertidas en celdas rodeadas de rejas de cabilla, tienen unos cuatro metros de alto y la ventana, de 75 centímetros, está situada cerca del techo. Para asomarnos por la ventana, tenemos que encaramarnos, de manera que no resulta fácil ver el exterior. Sin embargo, logré llegar a ella y no solo pude ver la manifestación, sino también dar nuestro mensaje en voz alta. Comencé por leer nuestro manifiesto y luego unas palabras donde ratificaba nuestra profunda convicción de seguir con la frente en alto enfrentando los abusos de la dictadura. Fue un momento que nos llenó de fuerza y de convicción de lucha.

Ese sábado, 25 de octubre, Lilian vino a visitarme con Leo y Manuela; tenía quince días sin ver a mi esposa porque ella estaba fuera de Venezuela en encuentros con la ONU y otras actividades. Luego pude enterarme de que, al llegar Lilian con mis hijos a la puerta del penal, le informaron de que tenía negado el acceso y que yo no podía recibir visitas, estaba en aislamiento. Ese día, Manuela había venido con su disfraz de Elsa, la princesa de la película *Frozen*. Elsa es una de las princesas favoritas de mi hija, siempre cantamos sus canciones y hablamos de sus poderes mágicos. La ilusión de

Manuela era darme la sorpresa de venir con el disfraz para que jugáramos juntos. Yo pude enterarme de la negativa a la visita de mi familia al día siguiente, cuando vi reflejada en la prensa una foto que me partió el corazón: Lilian caminando con mis dos hijos, disfrazados para darme una sorpresa, y recibiendo la noticia de que no podían entrar.

Confieso que me pegó mucho esta foto. Ver a mi esposa e hijos atropellados por la arbitrariedad me llenó de frustración e indignación. Días más tarde, pude llamar a Lilian y le pregunté sobre cómo había reaccionado Manuela y me dijo que bien, dentro de todo lo malo. Ella le había dicho a nuestra hija que no podían pasar porque yo estaba en clases y que estaba ocupado. Es un consuelo saber que la inocencia de los niños es aliada en situaciones como esta, pero en el fondo sé que Manuela e incluso Leopoldo, en sus veinte meses de edad, perciben lo que está pasando. Ellos también son víctimas del abuso, del atropello, de la discriminación, de la violación a nuestros derechos.

La noche del sábado 25, luego de la manifestación, fue dura. En la tarde, el coronel Almeida, segundo al mando en Ramo Verde, había venido a mi celda a informarme de que sería trasladado de penal: «Señor López, recoja sus cosas básicas que va de traslado». Esta amenaza fue corroborada una y otra vez por el mayor Yépez,[2] que en varias oportunidades vino a mi celda a repetír-

---

2. Adelso Guillermo Yépez Pérez, segundo comandante de la GNB.

melo. Llegó la noche esperando la partida, hablé con mis compañeros y acordamos que no colaboraríamos con un traslado a menos que se cumplieran tres condiciones: que el tribunal diera respuesta a la solicitud de la ONU, que el traslado fuese una orden judicial y contar con la presencia de nuestro abogado ante esa eventualidad.

Estábamos dispuestos a resistir.

Esa noche, procedimos como habíamos acordado: barrotazo. Fue una protesta inmensa, ruidosa, larga y con consignas sobre la justicia y el respeto a los derechos. Nos mantuvimos en protesta durante varias horas. A la medianoche pasó algo insólito, algo que no podíamos creer que estaba pasando. Escuchamos ruidos en la azotea y repentinamente entraron por nuestras ventanas bolsas de excremento humano. Esa era la respuesta del director del penal: Homero Miranda había mandado a sus subalternos a lanzar mierda en nuestras celdas.

Este hecho es significativo por lo que implica dar una orden de este calibre. No era una acción espontánea de un custodio, era la orden del director del penal. Esa orden de lanzarnos excremento humano por nuestras ventanas delataba claramente la situación. Acompañaron esa denigrante acción con cortar el suministro de agua por más de doce horas, para así impedirnos limpiar nuestras celdas.

Qué podíamos esperar de quienes han violado sistemáticamente nuestros derechos. Su acción, su proceder quedaba retratado en esa orden: «Láncenles mierda por la ventana».

Esa noche del sábado fue larga, esperamos que en cualquier momento llegarían a nuestra celda con la intención de trasladarnos. No ocurrió y amanecimos el domingo 26, nuevamente en pie de lucha en protesta permanente. Continuamos con los barrotazos.

La noche del lunes 27, ante la falta de respuesta por parte del tribunal a la solicitud de liberación inmediata hecha por la ONU, tomé la decisión de no presentarme al juicio que tenía pautado para el martes siguiente.

Fuimos notificados de un nuevo castigo por quince días más por nuestra conducta. Estoy convencido de que este nuevo castigo no es consecuencia del barrotazo, es más bien una respuesta a mi decisión de no acudir más a juicio hasta que la jueza Susana Barreiros dé una respuesta sobre la solicitud de la ONU. ¿Vale la pena esta protesta? ¿Tiene sentido enfrentarse al sistema y que lo que tengamos como resultado sea un costoso castigo? Costoso y doloroso por lo que significa no ver a la familia. Esas fueron las preguntas que me hice al recibir la notificación. Mi respuesta es sí. Sí vale la pena, y la razón por lo que vale la pena es por ser consistentes en nuestra convicción de que, ante cualquier atropello a nuestros derechos, es necesario protestar, alzar nuestra voz, alzar nuestra conciencia.

La protesta como resultado de un estado de conciencia tiene sentido cuando esa convicción está fundamentada sobre creencias sólidas. En nuestro caso, esas creencias son la promoción y defensa de todos los derechos para todos los venezolanos. La pregunta: ¿tiene sentido protestar si nadie nos escucha? La respuesta es sí, sí tiene sentido porque no solo se trata de que otros escuchen, se trata también de convertir un estado de conciencia en acción. Sí tiene sentido porque toda protesta colectiva, masiva, comienza con el estado de convicción de algunas personas que luego logran masificar la indignación y convertirla en acción.

Además, se trata de ser consistentes. Si nosotros le pedimos al pueblo que proteste por sus derechos, no podemos nosotros dejar de hacerlo, más bien debemos convertirnos en ejemplo. En vanguardia de la protesta, de la lucha.

Protestamos estando presos y eso nos hace libres, libres en nuestro corazón, en nuestra mente, libres de pensar y soñar en una Venezuela mucho mejor de la que hoy tenemos.

Todos los derechos para todos los venezolanos. Esta idea la he venido asumiendo desde hace varios años. Diría que fue en 2006, mientras estaba trabajando en nuestra propuesta de seguridad ciudadana, el Plan 180, cuando me encontré y asumí como propia, y como visión para Venezuela, la idea de alcanzar para nuestro país un tipo de democracia.

La democracia a secas, sin definición precisa, da para todo. Los comunistas se hacían llamar demócratas, los nazis de Hitler también; aquí en Venezuela el régimen se identifica y define como democracia participativa y protagónica. Incluso los chinos y cubanos definen su sistema de Gobierno como democracia.

Para simplificar un concepto de gran complejidad y cargado de historia, podemos decir que el principio fundacional de una democracia es que la soberanía, el poder, reside en el pueblo y es él quien decide sobre quién y cómo se ha de gobernar. Ese principio fundacional, el derecho del ser humano a elegir a sus gobernantes, se inserta en otro no menos importante, la división del poder del Estado de acuerdo a sus tres funciones: legislativa, ejecutiva y judicial. Locke, Montesquieu y Rousseau, inspiradores de la independencia de Venezuela y América, fueron los pensadores políticos que dieron forma a ese principio sin el que una democracia no es auténtica. No basta poder elegir y ser elegido. Es un requisito indispensable que exista una división de poderes del Estado, cada uno independiente del otro, para que exista democracia. Es necesario que cada poder sea contrapeso del otro, solo así se garantiza un balance que evite la concentración del poder en alguno de ellos. El desequilibrio y la concentración de poderes conduce al abuso y la arbitrariedad, y la víctima de ello es el ciudadano, el hombre y la mujer del pueblo.

Así, a partir del propio desarrollo histórico humano se crearon los tres poderes. Un poder ejecutivo, que administra el Estado. Un poder legislativo que le da forma mediante un cuerpo de leyes. Y un poder judicial que garantiza el cumplimiento de esas leyes y el funcionamiento del Estado. Esta idea de Estado democrático asumido desde la convergencia de estos poderes fue evolucionando y se instauraron democracias que, de una u otra forma, fueron estructurando estos tres niveles del Estado.

En el caso venezolano, al salir de la dictadura de Gómez en 1936, hubo la intención de darle más peso de forma progresiva a cada uno de estos poderes; sin embargo, se mantenía la puerta cerrada al pueblo para que fuese este el que decidiera quién y cómo gobernaría. Y fue precisamente este tema el que definió la lucha democrática del siglo XX en Venezuela. La lucha por el voto universal, directo y secreto.

Desde febrero de 1928, cuando los estudiantes encarcelados alzaron su voz, la idea y aspiración central de la lucha democrática en Venezuela fue la conquista del voto universal directo y secreto.[3] El proceso de transición política, iniciado al final de los veintisiete años de dictadura de Gómez, fue muy lento con respecto a este derecho, piedra fundacional y angular de la democracia.

Entre 1936 y 1945, con los gobiernos de López Contreras y Medina Angarita,[4] se lograron conquistas democráticas importantes: libertad de prensa, liberación de presos políticos, legalización de los partidos, libertad sindical. Fueron todas conquistas y avances importan-

---

3. La llamada Generación del 28 protagonizó un movimiento estudiantil del que saldrían los líderes de los grupos políticos que acabaron con el gobierno de Gómez.

4. Eleazar López Contreras (1883-1973) e Isaías Medina Angarita (1897-1953), ambos militares, presidieron los Estados Unidos de Venezuela en 1935-1941 y 1941-1945 respectivamente.

tes, pero no suficientes ante la idea de una democracia realmente representativa del pueblo. Hasta no lograr el voto universal, directo y secreto no se podía hablar de democracia plena. Y fue precisamente esta idea, este anhelo, lo que justificó, desde el punto de vista de sus autores, el golpe del 18 de octubre de 1945.

Este episodio histórico me resulta conocido y familiar por la participación directa de mi abuelo materno, Eduardo Mendoza Goiticoa, en este proceso. Mi abuelo fue designado por Rómulo Betancourt, presidente de la Junta de Gobierno, como ministro de Agricultura en octubre de 1945, cuando tenía apenas veintiocho años, y ocupó ese cargo hasta diciembre de 1947. Crecí escuchando sus historias, su recuento de esos días, de esos años de lucha por la democracia.

En 1945, por la vía de un golpe militar, se derrocó a Medina y se instaló una Junta de Gobierno que inició la transición democrática, con la promesa política de llevar al país a un proceso constituyente que permitiera la elección de su Gobierno mediante el voto universal, directo y secreto de los venezolanos.

Es con esa promesa central que se va al proceso constituyente de 1947 y posteriormente se elige por primera vez en nuestra historia a un presidente por la vía del voto popular, universal, directo y secreto. El escritor Rómulo Gallegos (1884-1969), con casi el setenta y cinco por ciento de los votos, fue el primer presidente elegido de manera democrática en toda nuestra historia.

Lamentablemente ese Gobierno, que asumió sus funciones el 17 de febrero de 1948, fue derrocado pocos meses después, el 24 de noviembre del mismo año. Un nuevo golpe militar, de los muchos que han marcado nuestro transcurrir, nos retrocedió nuevamente a una dictadura, la de Marcos Pérez Jiménez. De nuevo, un Pedro Carujo sacaba del poder con un golpe militar a un José María Vargas.[5]

De nuevo, el punto de partida, en lo que ha sido una larga marcha histórica del pueblo venezolano por la democracia, era la dictadura. De nuevo, la aspiración de los venezolanos era una democracia entendida como la elección de gobernantes mediante el voto universal, directo y secreto. De nuevo, una generación de jóvenes venezolanos se sacrificó por la libertad, diez años de lucha, de clandestinidad, de destierro, persecución, encarcelamiento y muerte. Sufrimiento que muchos padecieron por defender la aspiración de que sea el pueblo quien elija a sus gobernantes y determine su destino.

Desde 1958, cuando Pérez Jiménez fue derrocado, hasta la llegada de Hugo Chávez al poder en

5. El nuevo Gobierno militar, encabezado por Carlos Delgado Chalbaud hasta 1950 y, después, por Germán Suárez Flamerich, dio paso a la dictadura de Jiménez (1952-1958). Pedro Carujo (1801-1836), militar y periodista, lideró la Revolución de las Reformas (1835), dirigida por el general Santiago Mariño, y fue quien apresó al presidente Vargas en su casa el 8 de julio de 1835. José María Vargas (1786-1854), político y escritor, fue el primer presidente civil del Estado de Venezuela (1835-1836).

1998, vivimos el único período donde la aspiración democrática encontró tierra fértil para desarrollarse. El sistema, que nació vacilante en aquellos primeros años, creó y consolidó unas bases institucionales que fueron marco de grandes avances del pueblo venezolano. Hasta 1979, año en que se vivió la segunda crisis mundial del petróleo, el balance fue extraordinariamente favorable en lo económico, político y social. A partir de ese año, la marcha fue cada vez más difícil. Las circunstancias exigían mayor democratización de nuestras estructuras básicas (los partidos políticos) y los intentos de hacerlo fracasaron. Las élites partidistas envejecieron y se fosilizaron al frente de las máquinas llamadas a producir las grandes decisiones. La falta de democracia interna del aparato político impuso entonces decisiones sin foco, que no estaban orientadas a atender los problemas de una mayoría empobrecida, sino a mantener sus propios privilegios de élite política.

En 1998, la aspiración de cambio de los venezolanos era un clamor y el único en proponerlo con credibilidad fue Hugo Chávez. Esa aspiración de cambio, como sabemos, fue traicionada. A la fecha, con más de un millón de millones de dólares despilfarrados por las dos administraciones chavistas, endeudados de manera increíble, asediados por el crimen y la escasez de alimentos, el pueblo venezolano se encuentra en condiciones mucho peores que las de hace quince años.

VOLUNTAD DE CAMBIO

De nuevo, Venezuela clama por un cambio auténtico y profundo. Ya lo hemos definido, un cambio que lleve a todos los venezolanos a recibir los beneficios del sistema democrático, un cambio que saque a los pobres de la pobreza, un cambio de verdad, un cambio que haga que todos los derechos sean de todos, en particular de aquellos que nunca los han recibido. El pueblo venezolano está desesperado por cambiar y es el cambio el único remedio a esa aspiración.

Esta circunstancia es la fuente de mis mayores desvelos y constituye una preocupación mayor que la de estar preso. Al mismo tiempo y paradójicamente, es la fuente principal de mi inspiración y fortaleza para enfrentar la prisión. La razón es que estoy convencido de que Venezuela ha de superar esta situación, de que podemos sacar a Venezuela del desastre al que hoy la tienen sometida. Ese optimismo se alimenta de mi fe en el pueblo venezolano y su infinita sed de libertad. Esa aspiración de libertad del pueblo es una fuerza superior a cualquier adversidad, va más allá del aquí y ahora y nos permite soñar y proyectar un país con unas condiciones de vida mejores para millones de compatriotas.

Siempre he sido optimista y hoy he fortalecido esa condición. Nuestro peor enemigo en la cárcel no son los custodios que atropellan de manera permanente nuestros derechos, no son los desalmados que nos lanzaron excrementos, ni siquiera son los que decidieron mantenernos presos, tampoco es Maduro ni su élite corrupta que lo acompaña. Nuestro peor enemigo es la desesperanza, es el pesimismo. Y siendo estos nuestros principales adversarios, la lucha se ubica principalmente en el terreno del ánimo de nuestro espíritu, de nuestras convicciones. Es ese el principal terreno de nuestra lucha, el terreno de nuestras convicciones, y es allí donde me he dedicado a fortalecerme, es el ámbito del espíritu en donde estamos obligados a vencer.

Por eso me permito decir que estoy preso, pero soy libre. Es así, y así me siento, aunque no dejo de estar preso, condición con la que debo encontrarme todos los días. Escribo estas líneas cuando estoy por cumplir un nuevo período de aislamiento, de hecho esa ha sido la condición en que he pasado la mayor parte de mi encarcelamiento. Ayer sábado, 25 de octubre, a eso de las doce del mediodía, escuché gritos de mujer en las afueras de la cárcel. Me subí en la ventana para ver qué ocurría y abajo, en el portón, estaba Lilian con mi hijo Leopoldo en brazos. No pudieron pasar. Lilian gritaba palabras de optimismo, de fuerza, idea de lo que estamos pasando.

Leopoldo me saludaba y, como lo hacía desde lejos, no podía ver bien sus caras, solo siluetas, porque mi visión ha estado afectada estos meses y se ha deteriorado mucho. Pero solo con ver la mano de mi hijo saludándome, y con adivinar su permanente sonrisa, me llené de fuerza. Si bien no aguanté las lágrimas y me entristeció profundamente no poder estar con mi familia, sé que estos momentos me fortalecerán a mí y también a mis hijos, a Lilian, a mi familia, a todo nuestro equipo y a los venezolanos que nos acompañan en este tránsito.

¡Ni un centímetro para la desesperanza, Venezuela!

Estoy preso, pero soy libre. Así también está nuestra patria y todos los venezolanos. Estamos presos ante la corrupción, la intransigencia, la inseguridad, la represión y la antidemocracia, pero somos libres en nuestro potencial de ser libres. El potencial, la aspiración colectiva, el sueño compartido, la tierra prometida, lo que podemos llegar a ser. Allí en ese ideal es que podemos conseguir la libertad, y esa libertad se materializa cuando cada persona pueda conquistar el potencial de sus aspiraciones, de sus derechos, sin restricciones, sin obstáculos impuestos por quienes ejercen el poder. Un poder político, un Estado, es inmoral si no está dedicado a generar las condiciones para que todos los ciudadanos puedan ser libres.

Hoy Venezuela no es un país con hombres y mujeres libres porque sus derechos no son respetados a plenitud. Cuando por esfuerzo propio logran alcanzar alguno de sus derechos, se plantea por parte del Estado un trueque inaceptable; toma este derecho pero paga con ceder otro. Te damos una vivienda si entregas tu derecho a elegir. Te damos trabajo si entregas tu derecho a disentir. Te damos una migaja de salud si no pides más de lo que te damos. Ese trueque entre uno y otro derecho es el fundamento de un sistema autoritario. El potencial libertario de cada persona no depende de sí, ni de su talento, sino más bien de la benevolencia o maldad de un Estado que se asume como el dueño de los derechos de todos los ciudadanos, y los administra con la única finalidad de mantenerse en el poder imponiendo a la fuerza un modo de vida para todos.

Luego de un mes en mora, el 13 de noviembre de 2014 el tribunal se pronunció finalmente sobre la solicitud de liberación inmediata de Naciones Unidas. La decisión fue negar la libertad alegando que la ONU no tiene injerencia en nuestros asuntos internos (trillado argumento de todas las dictaduras) y que la detención no fue arbitraria porque había una orden de captura emitida por un tribunal. Se estableció que la siguiente vista sería el 18 de noviembre. Racionalmente, yo tenía pocas esperanzas de salir libre, pero siempre dejamos un espacio, por más pequeño que sea, para esa posibilidad. Hay una condición que creo tenemos todos los presos, tener esperanza de libertad. En mi caso, siendo tan clara mi inocencia, la falta de pruebas y la solicitud de liberación por distintas instancias, confieso que llegué a pensar que podría haberse dado la libertad.

La voz fuera de Venezuela

En estos primeros días de mayo de 2015, el Senado de Brasil se ha pronunciado sobre nuestra liberación, la de los presos políticos, y el respeto de los derechos humanos en Venezuela. Hace unas semanas, el 9 de abril, ya Dilma Rousseff había hecho un comentario, en una entrevista televisiva, en contra de la existencia de presos políticos en Venezuela. El pronunciamiento del Senado brasileño se suma a los que, desde que fui encarcelado, han sido realizados por el Senado colombiano, el chileno, el español y el Europarlamento, pero tiene una especial relevancia ya que lo hace en el contexto de miembro, al igual que Venezuela, del Mercosur.

La región comienza a cambiar de manera importante su percepción y posición frente a los hechos antidemocráticos que ocurren en Venezuela. Son muchos y muy relevantes los pronunciamientos que se han dado en todo el mundo solicitando nuestra liberación. La ONU, la Organización de los Estados Americanos, la Unión Europea, el presidente estadounidense Barack Obama, el presidente español Mariano Rajoy, diversos Congresos latinoamericanos, muchas organizaciones dedicadas a la defensa de los derechos humanos, Amnistía Internacional, Human Rights Watch (HRW), artistas, intelectuales, periodistas, todos coinciden en que debemos ser liberados y que en Venezuela hay una violación sistemática de los derechos humanos y se dan prácticas antidemocráticas. En nuestro país hay una sistemática y perversa política de Estado que persigue, reprime y acalla a quienes piensan distinto, a los disidentes, a los opositores.

Los presos políticos y nuestras familias pagamos el costo de estar encarcelados, pero Maduro y el Gobierno venezolano están pagando un alto precio al verse cuestionados en todo el mundo por sus prácticas represivas y antidemocráticas.

Cuando el 18 de febrero de 2014 me entregué a la justicia injusta, dije que, si mi encarcelamiento contribuía al despertar de nuestro pueblo, bien valdría la pena. En ese momento no pensaba en el eco internacional que tendrían ese hecho y las detenciones arbitrarias de estudiantes, activistas y líderes políticos para Maduro y su élite gobernante. En este mayo de 2015, a quince meses de mi prisión y la de decenas de venezolanos por razones políticas, puedo decir que el despertar sobre la situación crítica de la democracia en Venezuela ha tenido inmensas repercusiones a nivel internacional. Hoy, son contados con una mano los países que a ciegas se atreven a apoyar al Gobierno de Maduro y mucho menos los que dirían que Venezuela es un ejemplo de democracia.

En este despertar de la comunidad internacional con respecto a Venezuela, Lilian no solo ha sido mi voz fuera de Venezuela, sino que ha sido su propia voz, la de madre y venezolana afectada como millones de mujeres por la incapacidad y autoritarismo de quienes gobiernan nuestro país. Este inmenso esfuerzo de Lilian de recorrer el mundo llevando nuestro caso, junto al equipo de defensores de los derechos humanos que la acompaña, siendo una voz amplia de la Venezuela democrática, no ha sido fácil para ella. Se ha tenido que adaptar a una realidad de la que era ajena. Hoy, es blanco de ataques por la maquinaria oficialista, es seguida permanentemente por los cuerpos de seguridad del Estado (en Venezuela y en otros países) y, lo más difícil para ella, la ha obligado a separarse por días, incluso por semanas, de nuestros hijos. No ha sido fácil, pero por más difícil que sea el reto ella no va a parar de ser nuestra voz, la voz de la libertad para Venezuela y los venezolanos.

Son muchas las voces que se suman a esta lucha y entre ellas destaca un grupo de mujeres incansables: la esposa de Antonio Ledezma, Mitzy Capriles de Ledezma; la alcaldesa de San Cristóbal, Patricia de Ceballos, esposa de Daniel Ceballos; Rosa Orozco, madre de Geraldine Moreno; Íngrid Díaz, madre de Rosmit Mantilla; mi madre... Ellas, y muchos familiares de las víctimas y de las varias decenas de presos políticos, se han unido a esta campaña internacional por el respeto a los derechos humanos, incumplidos, pisoteados por el Gobierno de Nicolás Maduro.[6]

De una especial voluntad ha sido mi hermano Carlos Vecchio, coordinador político de Voluntad Popular, perseguido —y desde hace más de un año sufriendo el exilio— por la bota dictatorial del Gobierno. Ha

6.   Geraldine Moreno Orozco, estudiante universitaria fallecida el 22 de febrero de 2014 tras recibir en plena cara un perdigonazo, disparado por un miembro de la GNB, mientras presenciaba una manifestación tres días antes. Rosmit Mantilla, defensor de los derechos de gays, lesbianas, bisexuales y transexuales (GLBT) y dirigente juvenil de Voluntad Popular, fue detenido el 2 de mayo de 2014; candidato a las elecciones parlamentarias del 6 de diciembre de 2015, fue elegido como diputado suplente por San Cristóbal de Táchira.

tenido un rol esencial al denunciar ante el mundo las constantes violaciones a los derechos humanos, la ineficiencia fatal y la corrupción desaforada de este Gobierno. Vecchio lleva estas denuncias a los distintos organismos internacionales, a la OEA, la Unión Europea, la Internacional Socialista, el Club de Madrid,[7] hasta universidades y congresos, para que se sepa la naturaleza totalitaria del Gobierno venezolano, contraria a toda noción democrática y libertaria.

Sobre el apoyo internacional que hemos recibido, uno de los más controvertidos y decididos ha sido el del líder español socialdemócrata Felipe González. Conocí personalmente al expresidente González en abril de 2012 cuando visitó Venezuela, acompañado del expresidente de Chile, Ricardo Lagos, y del de Brasil, Fernando Henrique Cardoso. En aquel momento, yo acababa de incorporarme a la campaña presidencial de Henrique Capriles Radonski, gobernador del estado Miranda, como coordinador de esta.[8] Había participa-

7. El Club de Madrid, fundado en 2002, reúne en la capital española a más de cien exjefes de Estado y de Gobierno, así como a expertos y académicos, de sesenta y siete países diferentes para debatir asuntos concernientes al fortalecimiento de las instituciones democráticas y la resolución de conflictos políticos.

8. Capriles, gobernador del estado Miranda desde 2008, fue candidato a la presidencia del país en 2012 y 2013. En esas últimas elecciones, celebradas el 14 de abril, Capriles denunció numerosas irregularidades e impugnó los resultados, que dieron a Maduro como ganador por un margen nimio, ante la Comisión Interamericana de Derechos Humanos y la Comisión de Derechos Humanos de la ONU.

do como candidato para las primarias de la Mesa de la Unidad Democrática (MUD),[9] pero ante la negativa del Tribunal Supremo de Justicia a levantar mi inhabilitación, tal y como lo había solicitado la Corte Internacional de Derechos Humanos, me vi forzado a retirar mi candidatura el 24 de enero de 2012 y apoyar a Capriles. A la reunión con González, Cardoso y Lagos, fuimos Armando Briquet,[10] Henrique Capriles y yo. Fue un encuentro de toda una mañana en el que hablamos de Venezuela, de la campaña, de la situación económica y de sus propias experiencias. Ya en aquel entonces Felipe González mostraba su preocupación por la falta de autonomía de los poderes públicos y del inminente colapso de la economía venezolana como resultado de la aplicación de un modelo anacrónico e insostenible.

Aquel encuentro fue para mí un punto de inflexión en mi constitución democrática, ya que eran tres políticos socialdemócratas con quienes me identificaba por sus ideas y por su experiencia como líderes de Iberoamérica.

De los primeros libros que leí cuando llegué a Ramo Verde, estaban los escritos por ellos: *Así lo vivimos* (2013),

9. La Mesa de la Unidad Democrática (MUD), o simplemente Unidad, es una coalición de partidos políticos que se oponen formal y democráticamente al chavismo y al Partido Socialista Unido de Venezuela (PSUV). Fundado en 2008 en Caracas, y liderado por Jesús *Chúo* Torrealba, reúne a socialdemócratas, progresistas, democristianos, centristas y laboristas.

10. Armando Briquet, abogado y político, miembro fundador del partido Primero Justicia.

de Lagos; *En busca de respuestas* (2013), de González; y *El presidente accidental de Brasil* (2007), de Cardoso. En todos ellos se reflexiona sobre las experiencias en procesos de cambios políticos y sociales, así como sobre conquistas democráticas.

A Cardoso lo había conocido antes. El 10 de octubre de 2011 visité Brasil y tuve un encuentro muy ameno con el presidente en su oficina de São Paulo. Con él hablé en esa oportunidad sobre lo que fue su política cambiaria y monetaria —el Plan Real— para estabilizar la economía de Brasil y sobre los programas sociales focalizados en los más pobres. Ambas iniciativas fueron pilares de su gestión y, sin duda, las bases que permitieron que Brasil sacara de la pobreza a millones de familias durante los años después de su período presidencial.

A Lagos lo conocí cuando tuve la oportunidad de encontrarme brevemente con él durante una reunión ampliada de la Internacional Socialista. El libro de Lagos, *Así lo vivimos*, me impactó primero por lo bien escrito, y luego por las similitudes de su relato sobre la situación de Chile bajo Pinochet y la Venezuela de hoy.

El respaldo y la solicitud activa para nuestra liberación de los expresidentes, a través del Club de Madrid, es un honor y una gran responsabilidad. Si tuviesen ellos alguna duda sobre nuestra inocencia, no se pronunciarían ni tampoco se arriesgarían a venir a Venezuela.

Una de las primeras reuniones de Lilian fuera de Venezuela fue precisamente con Felipe González y tuvo lugar el 21 de mayo de 2014. En esa oportunidad, ella le llevó una carta que le escribí y solicitó su apoyo. Pasaron unos meses y, el 23 de marzo del año siguiente, se volvieron a reunir. En esa ocasión, puesto que pocas semanas antes el Gobierno ya había encarcelado a Antonio Ledezma, alcalde de Caracas, Lilian acudió a la reunión acompañada de la esposa del alcalde, Mitzy de Ledezma. Durante ese segundo encuentro, Felipe les comunicó que tenía la disposición de vincularse directamente con nuestra defensa y que estaba dispuesto a venir a Venezuela.

Visitarnos no era garantía de que nos pudieran ver a Ledezma, Ceballos y a mí, pues ya habíamos pasado la experiencia lamentable de la negativa del Gobierno a permitir la visita de los expresidentes Sebastián Piñera (Chile), Andrés Pastrana (Colombia) y Tuto Quiroga (Bolivia), los cuales vinieron a Venezuela y lo que recibieron de Maduro y su élite fueron insultos y la prohibición de ingresar a la prisión de Ramo Verde el 7 de junio de 2015.

A todos ellos les estoy muy agradecido por haber tenido la determinación de venir a Venezuela y poder constatar por cuenta propia el autoritarismo y la arbitrariedad a los que estamos expuestos. No es lo mismo recibir de una segunda fuente la información sobre la situación de Venezuela que vivirlo como les tocó.

Es en este contexto que Felipe González anunció que se incorporaba a nuestra defensa. La respuesta del régimen fue inmediata: desde la Asamblea Nacional lo declararon persona *non grata* y le insinuaron que no podría entrar al país. Ante esta arbitrariedad, González respondió exponiendo su compromiso de larga data con los presos políticos y relató cómo en 1977, durante los años más salvajes de la dictadura de Pinochet, fue a Chile y pudo visitar y mediar en la liberación de presos políticos: «Espero que Maduro no me impida hacer lo que Pinochet durante los días más duros de la dictadura me permitió, la visita a los presos políticos».

Mientras escribo estas líneas estamos a la expectativa de la visita que ya anunció Felipe González para el 17 de mayo, que a pesar de todo mantiene firme su intención de venir a Venezuela para incorporarse en nuestra defensa y asistir a la audiencia del juicio.[11]

11. La vista oral se aplazó y el expresidente español Felipe González suspendió su viaje. En la siguiente ocasión, el 11 de junio de 2015, González no pudo sumarse a la defensa porque el Gobierno venezolano no lo permitió. Sin embargo, sí pudo dar cuenta del estado de los presos políticos al visitar a sus familias, así como de la situación crítica del país, y expresarse al respecto: «Me he encontrado un país en proceso de destrucción. [...] Yo creo que el país solo tiene solución mediante un diálogo, pero este no va a venir porque no hay talante del diálogo en el Gobierno. [...] Ni dentro ni fuera de Venezuela, nadie puede llamarse a engaño. Venezuela se ha convertido en una dictadura *de facto*».

8

LA NAVIDAD, UN BAUTIZO
Y LA DESIGUALDAD

24 de diciembre, un día de reflexión, de celebración, de familia. Celebramos la esperanza. Es un día especial para la familia y para los niños, para muchos el día y la noche más emocionantes. Este año, 2014, es un día diferente a todos los anteriores, pasaré las Navidades en la cárcel, encerrado, sin poder pasar la Nochebuena con mi familia, hablar con mis hijos ni preparar la casa con regalos.

Ha sido un día especial que me ha llevado a reflexionar sobre el significado más profundo del nacimiento de Jesús y su reinado, que se fundamenta en el amor y la fraternidad de cada uno de nosotros, una invitación a que seamos parte del reino de Dios partiendo de nosotros mismos, de nuestra alma y de nuestra fe en Dios bondadoso, que nos hace un llamado a ser mejores personas y fundamentar la relación con el prójimo en el amor y en el respeto. Pasar un día como hoy en la cárcel, rodeado de adversidad, de injusticia, de incertidumbre, es una invitación a pensar y a valorar lo que es verdaderamente importante.

Tuvimos una misa especial. A diferencia de otros días, hoy le permitieron a la familia participar en esta celebración. Vinieron mis hijos y Lilian, los hijos de Daniel y Patricia y los de nuestros compañeros de Ramo Verde. Aprovechamos la misa para bautizar a Nelson, un pequeño de tres años hijo de Odalis, la mujer de Yoiner, uno de los jóvenes que han estado en el mismo piso durante los últimos meses. Nelson es hijo de Odalis y Ramón, quien estuvo preso en Ramo Verde y al salir fue víctima de la violencia y falleció a solo unos meses de haber nacido su bebé. Yoiner comenzó una relación con Odalis y asumió la paternidad de Nelson, así que para el pequeño Nelson su papá es Yoiner.

Nelson es un niño muy especial, inquieto, simpático y curioso. Desarrollé una buena relación con él. Los días de visita entraba en mi celda pidiendo chocolate y preguntando por Leo y por Manuela, con quienes compartía y jugaba. Hace unas semanas Odalis me preguntó si yo quería ser su padrino y le dije que sería un honor y hablaría con el padre para dar con una fecha y bautizarlo: la oportunidad era el 24 de diciembre, durante la única misa en la que podían participar los familiares.

No se le informó a las autoridades del penal, en particular al director, para que no inventaran una excusa y evitar el bautizo. Llegó el momento de la misa. Ahí estábamos los padrinos: María Alejandra (esposa del comisario Salvatore Lucchese), Lilian y yo, junto a Nelson y sus padres. Fue un momento especial, emotivo para todos. Al terminar, le regalé una Biblia para niños con el compromiso de Odalis de leerle al menos una vez a la semana historias bíblicas a Nelson.

El lugar donde nazca un niño condiciona de forma significativa su rumbo. Aquella noche me quedé pensando en Nelson y en su futuro. En la Venezuela de hoy. Es lamentable que nuestro país se haya convertido en un lugar de pocas oportunidades y se haya detenido el progreso. Las oportunidades las limitan (o las potencian en el caso de sociedades libres) las condiciones donde nace y crece un niño. Claro que hay excepciones e historias de crecimiento personal, historias de quienes vienen de abajo y se superan, pero lamentablemente esas historias son excepciones, están lejos de ser mayoría. Hoy, en Venezuela, un niño tiene menos oportunidades que sus padres. Si sus padres pudieron estudiar, a ellos se les hará más difícil, si sus padres lograron tener vivienda propia, a ellos se les hará más difícil, si sus padres tuvieron la oportunidad de conseguir un empleo estable, a ellos se les hará cuesta arriba. Es una clara y triste realidad, pero es el punto en el que hoy estamos estancados. Y aún peor, entre la vida de los padres y la de los hijos ha llegado una realidad que solo se instala en un país en guerra: cada año más de 20.000 padres entierran a sus hijos víctimas de la violencia, cuando por designio de la naturaleza deberían ser los hijos quienes entierren a sus padres.

LOS GOLPES

En Venezuela, durante varias décadas del siglo XX, el ascenso social y el aumento de oportunidades de generación en generación fue una realidad. Jóvenes que estudiaban cuando sus padres o abuelos no pudieron, primeras generaciones de universitarios, acceso a la vivienda propia… En fin, una idea, un sueño hecho realidad: que mis hijos puedan estar (y ser) mejor que su padre. Este período de progreso y de nuevas oportunidades no terminó de un día para otro, pero sí podemos fijar una fecha como referencia, el principio del desbalance: el viernes negro de 1983, cuando la situación nacional comenzó a cambiar y cada año parecía estar peor que el anterior. Fue el inicio de los golpes en Venezuela.

El primer golpe fue el económico, la devaluación del viernes negro que cerraba el ciclo de la Venezuela saudita, de la Venezuela del «ta' barato: dame dos». Como consecuencia de altos niveles de endeudamiento, del crecimiento del gasto público, del capitalismo de Estado y de la falta de previsión y ahorro durante los años de bonanza, la devaluación fue inevitable. Con la devaluación vino el debilitamiento del poder adquisitivo, la inflación y el decrecimiento en oportunidades de empleo. En el sector público, la caída de ingresos limitó los programas sociales, el gasto público y la estabilidad, aunado al aumento de la corrupción.

A los seis años del primer golpe vino el segundo, el golpe social del 27 de febrero de 1989. Apenas semanas después de la segunda elección de Carlos Andrés Pérez, quien ganó la presidencia con la promesa de volver a los gloriosos años setenta, el pueblo se alzó en protesta social, y la respuesta con represión, desde la fuerza pública, generó una espiral de violencia y muertes inocentes que marcó el destino del Gobierno recién inaugurado.

El tercer golpe fue el intento reiterado de los militares por tomar el poder en 1992. Con la promesa de acabar con la corrupción y de fusilar a los corruptos se alzaron un grupo de militares el 4 de febrero y luego el 27 de noviembre de 1992. Militarmente, las intentonas fracasaron, sus autores fueron detenidos o exiliados, pero las consecuencias sociales y políticas de ese golpe estarían por verse y fueron significativas, en buena medida por la incapacidad del liderazgo político del bipartidismo adeco-copeyano[1] que no supo hacer una lectura acertada del mar de fondo que se estaba moviendo en la sociedad venezolana, harta de la disminución de oportunidades, de la calidad de vida y de progreso.

El cuarto golpe fue político-institucional: la destitución de Carlos Andrés Pérez de la presidencia de la

---

1. Entre 1958 y 1998, el Gobierno venezolano estuvo monopolizado, de forma alterna, por dos partidos: Acción Democrática (AD) y el Comité de Organización Política Electoral Independiente (COPEI), es decir, «adecos» y «copeyanos».

República como consecuencia de un proceso irresponsable de ajustes de cuentas y rencillas personales. En 1993, procurado por su propio partido, Acción Democrática (AD), Carlos Andrés Pérez es forzado a renunciar y detenido.[2] En un proceso acelerado de descomposición institucional se dieron cuatro golpes entre 1983 y 1993 que pagaríamos caros todos los venezolanos. Lo que pasó a continuación lo conocemos bien los venezolanos.

Lo que vino después de Rafael Caldera,[3] con la elección de Hugo Chávez en 1998, tampoco resultó en una respuesta a los problemas crónicos de los venezolanos, más bien empeoraron las condiciones y aparecieron los fantasmas dormidos del militarismo y autoritarismo que habían desaparecido durante cuatro décadas.

EL PETRÓLEO, UN PROTAGONISTA DE NUESTRA REALIDAD

Durante todos estos años un protagonista a veces silencioso fue responsable de mucho de lo ocurrido: el petróleo. Realmente, más que el petróleo, fue el manejo y su uso.

2. Carlos Andrés Pérez (1922-2010) fue presidente de Venezuela entre 1974 y 1979 y de nuevo entre 1989 y 1993. Le sucedió Ramón José Velásquez, por un corto período de tiempo, y a continuación Rafael Caldera.

3. Rafael Caldera (1916-2009) fue presidente de Venezuela entre 1994 y 1998. Le sucedió Hugo Chávez.

No hay manera de entender objetivamente lo que ha sido la historia del último siglo en Venezuela sin tomar en consideración como protagonista principal al petróleo. Y siendo esto cierto para comprender el pasado, también es cierto para prever un futuro para Venezuela. No hay manera de proponer una idea de nuestro futuro sin comprender el petróleo y respondernos la pregunta ineludible: ¿qué hacer con nuestro petróleo sabiendo que tenemos las reservas más altas del planeta Tierra?

Durante los últimos años quienes están en el poder han vendido la idea de que el petróleo es del pueblo y Petróleos de Venezuela S. A. (PDVSA) es de todos los venezolanos. Nada más lejos a la realidad. Lo cierto es que la riqueza petrolera la han privatizado y politizado y lo único que han socializado son las pérdidas, las colas, el desempleo y la escasez. Desde que apareció el petróleo en la vida de los venezolanos hace cien años, ha sido el Estado el dueño de los beneficios generados por esta industria. Desde 1914 hasta 1975 fueron empresas extranjeras, y unas pocas nacionales, las que lo explotaron, y a partir de 1975 se nacionalizó la industria y la responsabilidad de la exploración, producción, refinación y comercio de los hidrocarburos pasó a manos del Estado como único representante de todos los venezolanos. La historia centenaria del petróleo en Venezuela es larga y ha pasado por muchas etapas, pero lo cierto es que no hemos sabido aprovechar su potencial ni tampoco hemos logrado vincular a los venezolanos de una manera directa y transparente con una riqueza que por derecho nos pertenece a todos.

Hablo del petróleo en el contexto de una reflexión sobre una sociedad más justa y menos desigual, puesto que estoy convencido de que no hay manera de disminuir la desigualdad y lograr el tan ansiado progreso de nuestra sociedad si no incorporamos el petróleo en el centro del debate. No hay duda que debemos producir más y que tenemos que avanzar hacia una economía «Hecho en Venezuela», en donde podamos producir lo que comemos, lo que vestimos, así como los servicios que consumimos en función de garantizar un mejor bienestar para nuestra sociedad.

Atender el problema de la desigualdad y el fortalecimiento de la economía venezolana pasa necesariamente por tener una propuesta seria, coherente y diseñada a largo plazo sobre el qué hacer con nuestra riqueza petrolera y sus derivados. Una realidad país que debe adaptarse a la actualidad, a las nuevas tecnologías. Sobre este tema he reflexionado desde muy joven, y continúo haciéndolo con dedicación. A lo largo de mi vida profesional he conversado con expertos, profesionales nacionales e internacionales, y he participado en encuentros y conferencias sobre este tema. Debemos modernizarnos, respetar el equilibrio ambiental, afianzar los sistemas de seguridad laboral e industrial, recapacitar a nuestra mano de obra, y analizar los mercados internacionales para maximizar nuestra producción. Y sí, democratizar el petróleo a través de un fondo transparente y solidario para todos los venezolanos, para que realmente seamos la fuerza y potencia petrolera mundial que en algún momento pudimos ser.

NELSON Y LA LIBERTAD

Durante los últimos meses mi hijo Leopoldo y Nelson se han hecho buenos amigos. Los he visto crecer, aprender a caminar, a hablar y a compartir. He pensado mucho sobre su futuro, sobre el país que les ha tocado vivir y en el que se harán adultos para forjar su propio destino. El país que aspiro, en el que sueño y al que le dedico todo mi esfuerzo, es uno en donde Leopoldo y Nelson puedan ir a la misma universidad y tener las mismas oportunidades aun cuando han nacido en realidades distintas. La aspiración de una sociedad más igualitaria, más justa, más equitativa, es una en donde no importe si un niño nace en un barrio empobrecido o en una urbanización de la clase media, si es niño o niña; todos deben tener la oportunidad de alcanzar su sueño, de forjar su propio destino. Esta es la verdadera y más profunda noción de libertad, que todos tengan la oportunidad de forjar su destino sin más limitaciones que su voluntad.

Hoy estamos lejos de ser una sociedad igualitaria, libre y justa. El discurso político está cargado de referencias a la igualdad, pero cabe preguntarnos: ¿igualdad en qué? ¿Somos más igualitarios de lo que éramos?

Y si hablamos de igualdad hay que definir cómo y bajo qué parámetros definimos la igualdad. Es inevitable que cada niño llegue al mundo en condiciones particulares: unos nacerán y crecerán en el campo y otros en la ciudad, unos tendrán padre y madre, otros solo contarán con la madre, otros con el padre, unos nacerán en pobreza y otros contarán con más facilidades y estabilidad económica. Entonces, la pregunta es cómo hacer de estas condiciones tan distintas unas que sean más semejantes.

Y es aquí donde cabe la pregunta: ¿igualdad en qué? Hace falta construir un punto de partida similar para todos, independiente de las condiciones en que llegaron al mundo. Estas instancias básicas son la educación, la salud, la vivienda, el acceso a servicios básicos y la seguridad. Amartya Sen es un economista hindú, Premio Nobel de Economía, que se ha dedicado a estudiar este asunto y ha hecho contribuciones vitales para entender las dinámicas actuales. Una de las más importantes es que no puede haber desarrollo pleno de estas instancias si no se hace en un contexto de libertad, y la única manera de vivir en libertad es bajo un sistema democrático que respete y promueva los derechos de todos sin ningún tipo de discriminación.

9

LA SOBERBIA Y EL SOPLETE

12 DE FEBRERO DE 2015

Hoy se cumple un año de la manifestación en Caracas y en toda Venezuela, durante la cual fueron asesinados Bassil Da Costa, joven carpintero de veintitrés años, y Juan Montoya, miembro de los colectivos oficialistas. En la noche de ese mismo día también murió asesinado Roberto José Redman durante unas manifestaciones en Chacao.

Los asesinatos, aunque policial y periodísticamente aclarados, todavía se mantienen impunes, los homicidas libres y quienes dieron la orden de disparar también. Un año de impunidad maquillada de maquinaria política, institucional y comunicacional. Sus familiares llevan un año peregrinando por el laberinto judicial e institucional, instancias que han sido secuestradas por el régimen.

Estas muertes, de naturaleza política, y que fueron parte de un plan macabro y premeditado por el alto Gobierno, son un emblema claro del porqué de nuestra lucha. Están lejos de ser las únicas que han ocurrido, y la impunidad sigue siendo motivo de indignación para los venezolanos de todas las edades, especialmente para los más jóvenes.

Hace un año libraron una orden de captura en mi contra que, lejos de escabullirme y rehuirla —como sugirió Diosdado Cabello a mi familia—, asumí frontalmente, y seis días después me presenté voluntariamente ante la justicia injusta. Desde aquel día 18 de febrero estoy preso en la cárcel militar de Ramo Verde.

Anoche me acosté pensando en Bassil y Juancho Montoya, también en Génesis Carmona y en el resto de los fallecidos. Me acosté pensando en ellos y en sus familias, en Janet, la madre de Bassil, que ha ido a todas mis audiencias, en Jonny, el hermano de Juancho, que al igual que él pertenecía al PSUV y a los colectivos, pero que luego de un largo año de esperar por justicia ha sido víctima de la misma justicia injusta que no tiene color ni ideología para las víctimas cuando la verdad pone a tambalear la mentira oficial; en Rosa Orozco, la madre de Geraldine, quien el 19 de febrero recibió impactos de perdigones en el rostro por parte de Guardias Nacionales, luego de la orden emitida por el gobernador de Carabobo, Francisco Ameliach, quien horas antes había escrito en su Twitter: «Colectivos, preparemos el contraataque fulminante, esperemos la orden de Diosdado».

Estos son solo tres casos de las 43 muertes ocurridas durante los días de la protesta que se extendieron hasta junio de 2014. Los otros 40 casos han corrido la misma suerte: olvidados por la justicia y manipulados por el régimen y su maquinaria comunicacional e institucional. Los familiares de estos 43 venezolanos fallecidos —la mayoría de ellos en manos de uniformados y colectivos— enterraron a sus muertos y hoy parece que también entierran la esperanza de que haya justicia, al menos hasta que salgamos de la élite corrupta, ineficiente, antidemocrática y represora que gobierna. Ayer Rosa Orozco fue sólida en una entrevista ante la pregunta de si esperaba justicia en el caso de su hija: «No mientras esté Maduro, y espero que eso sea pronto; solo cuando eso ocurra podremos ver la luz de la justicia no solo para mi hija sino para todos los venezolanos». Tiene razón, mucha razón, tanta razón que esa respuesta resume nuestra lucha por la salida de la élite que tomó por asalto las instituciones del Estado venezolano, y así, eliminó la posibilidad de que haya justicia en Venezuela.

Me acosté pensando en ellos. Desde que llegué aquí he dormido bien gracias a la tranquilidad de mi conciencia, pero anoche fue distinto. Me desperté a las tres bañado en sudor, me levanté, saqué la sábana, me puse una franela e intenté volverme a dormir hasta las cinco, hora a la que me despierto todos los días, pero no pude dormir bien, quizá porque inconscientemente esperaba algo, algo me tenía inquieto.

A las cinco escuché las rejas de abajo y luego la secuencia de cuatro rejas que hay que abrir hasta llegar a mi celda. Pensaba que era un traslado de alguno de los compañeros presos, pero no fue así. Estaba en la cama a punto de despertarme, o más bien estaba despierto, en esa fase entre abrir los ojos y quitar la sábana para levantarse, pararse y comenzar el día, esa fase que en ocasiones es una lucha contra los cinco minutos del *snooze* del despertador. Pero no fue la alarma la que me despertó. Fueron una serie de golpes a la puerta de mi celda.

—Señor López, es la Dirección de Contrainteligencia Militar, venimos a hacerle una requisa.

—Ya voy —les alcancé a decir.

Me tomé unos segundos para confirmar una decisión que habíamos tomado meses antes: si vuelven a venir de la DGCIM a requisar, nos vamos a resistir. Era la decisión hablada y ratificada, personalmente y con Daniel. Claro, una cosa es hablar de lo que haríamos ante una situación hipotética, y otra enfrentarla en realidad. Había llegado el día que sabíamos iba a llegar y para el cual nos habíamos preparado.

Me levanté de la cama y fui a la reja. Un portón grande de acero, con vigas de recuadro y llena de hileras de barrotes reforzados por planchones en la parte de afuera que la hacen unas rejas casi imposibles de abrir, pero también de entrar. Me asomé por la rendija de la puerta y estaba el comandante Therán, quien ya había requisado mi celda con funcionarios de la DG-CIM encapuchados en dos oportunidades.

—Señor López, venimos a la requisa, abra.

Mi respuesta fue que no abriría la puerta, la había apertrechado con una estaca de madera y un candado interior. Que si querían pasar lo harían sin mi voluntad.

—Soy un preso político, estoy secuestrado por el régimen, he pasado un año preso y no hay una prueba en mi contra porque soy inocente de lo que se me acusa. Estoy preso por mis palabras, por mi convicción de cambio, por mi firme determinación de denunciar al régimen por lo que es: corrupto, ineficiente, antidemocrático y represor; estoy preso y sigo secuestrado a pesar de que mi liberación inmediata la han solicitado organismos internacionales con jerarquía constitucional, la ONU, la Comisión de Derechos Humanos y de detenciones arbitrarias, la han solicitado también organizaciones de derechos humanos de Venezuela y el mundo, los gobiernos de Colombia, España y Estados Unidos, más de 30 expresidentes, el Parlamento Europeo, la Internacional Socialista y por encima de todo más del 70 por ciento de los venezolanos que saben que soy un preso político. No me rehúso a una requisa, pero solicito la presencia de mi abogado, de la Fiscalía y de la Defensoría. Esta solicitud la hago porque he sido víctima del robo de mis pertenencias por parte de la DGCIM durante la última requisa, se llevaron libros, documentos de mi defensa y mi diario personal, que constaba de tres libretas.

Ante esta situación, bajaron y volvieron a subir solicitando que abriera. No lo hice y subieron a la celda de

Daniel. Él tampoco permitió la entrada argumentando lo mismo.

Ya había pasado hora y media en el subir y bajar de comisiones de los encapuchados. Todos vestidos de negro, fuertemente armados y con las siniestras capuchas que buscan intimidar e invitar a pensar que se tapan el rostro para evitar ser reconocidos en un acto ilegal y violatorio de derechos. Eran las 6:30 o 7, no recuerdo bien, y llegó el director del penal, Homero Miranda, acompañado de los uniformados de negro y en esta oportunidad de los custodios del penal.

—Señor López, abra.

—No voy a abrir —le dije, y expliqué mis razones. Se las volvía a argumentar muy pausado y tranquilo, una a una de mis razones.

Con la soberbia que acostumbraba Miranda me dijo que abriera o me iba a joder. Por supuesto que palabras de un hombre indigno como el coronel Miranda, lejos de intimidar reforzaron mi convicción de resistir. Fue cuando subieron con mandarria y esmeril. En el penal la soldadura, herrería y todo lo relacionado con sopletes, esmeriles y herramientas para trabajar hierro las maneja Molina. Molina es uno de los policías presos por los sucesos del 11 de abril de 2002, y lleva más de diez años recluido en Ramo Verde. Es buen amigo y le tengo admiración por la manera como se ha mantenido firme durante estos años y por cómo ha mantenido unida a su familia. Laura, su esposa, y sus dos hijas, en especial la mayor, Katerin, son buenas personas y cercanas. El caso es que fueron a buscar a Molina para que abriera mi celda y se negó: «No, yo no voy a meterme en eso, menos si es la celda de Leopoldo». Me cuenta un custodio que escuchó su respuesta a la solicitud de Miranda.

Ante la negativa de Molina, le quitaron el esmeril y la mandarria. El director —un oficial de tercera categoría en lo militar y en lo personal, quien vive sus 15 minutos de fama porque, al ser nuestro carcelero, Diosdado Cabello le contesta el teléfono y lo llama a «reuniones importantes»— dijo: «Bueno, yo mismo voy a tumbarle la puerta».

Así fue como Miranda agarró el esmeril y, haciendo el ridículo frente a sus subordinados, trató de abrir la puerta rompiendo los barrotes. Luego del primer intento, tomé un martillo y le di un martillazo al esmeril partiendo el disco y frustrando la operación. La respuesta del director fue: «Te voy a joder, voy a regresar y te voy a joder». Palabras que lejos de amedrentarme me llenaron de más fuerza. Como era jueves, día de visita, no pudieron seguir con la operación. Se retiraron los encapuchados de la DGCIM y los custodios.

A las once llegó Lilian y me comentó que afuera estaban los funcionarios de la DGCIM y que llegó a contar 34 uniformados de negro. En la tarde, por las denuncias que había hecho ella, vino una representante de la Defensoría del Pueblo y no solo le denuncié lo ocurrido sino que le alerté que regresarían en la noche y que mi única solicitud era que cuando regresaran viniera un representante de la Defensoría.

Terminó la hora de la visita a las cinco de la tarde, sabía que era cuestión de horas para que llegaran nuevamente los encapuchados; de hecho, un custodio me hizo saber que regresarían ese mismo día. Y así fue, a las siete, luego de un cierre temprano de todos los pisos y de un apagón de las luces del pasillo, regresaron.

Cuando escuché los ruidos abajo, creía que estaban trayendo de regreso del hospital a Yoiner, mi vecino de celda y compadre. A su hijo, Nelson, le había dado un ataque de epilepsia a eso de las 5:30 y se lo llevaron al hospital. En minutos supe que no era Yoiner, era la comisión de la DGCIM. En esta oportunidad llegaron con más violencia e intimidación. Apagaron las luces del pasillo y tocaron la reja fuertemente: «Señor López, abra la reja o vamos a entrar»; pregunté si estaba un representante de la Defensoría y me contestaron: «No, usted tuvo la oportunidad de que entráramos por las buenas y ahora vamos a entrar como sea. Apártese». Fue cuando pude ver que en esta ocasión habían subido un soplete. Me asomé y vi cómo preparaban todo para tumbar la puerta a punta de soplete. Comenzaron. Una llamarada grande entró por la reja, intentaban hacer un boquete con soplete y mandarria. En la parte de la reja que da hacia dentro tenía las fotos de Mandela, Luther King, Václav Havel, Simón Bolívar, José Antonio Páez, Leonardo Ruiz Pineda, la madre Teresa de Calcuta y Gandhi. Esas imágenes agarraron candela. Se prendían las imágenes y no me salió otra expresión que decirles: «Están quemando la imagen de Mandela, de Luther

King, de Gandhi». Pensaba en esos minutos en lo que eso significaba, al menos para mí: quemaban a quienes para mí han representado una fuente de inspiración. A medida que ardían las imágenes, seguían avanzando a punta de soplete. Combinaban las acciones entre el soplete y la mandarria. Mi celda se llenó de humo y el sonido de la mandarria retumbaba. Tomé el martillo y le daba a la puerta como protesta. Seguían afuera los encapuchados, ya algunos se habían quitado la capucha, y esperaban por el trabajo del soplete. El encargado de la comisión no cesaba en sus amenazas: «Vamos a entrar, vamos a entrar y usted no podrá hacer nada». Yo estaba tranquilo, me había preparado para ese momento.

Por la reja de atrás le preguntaba a Ceballos si estaban entrando a su celda. Me respondió que todavía no pero que estaban diez funcionarios de negro en la puerta.

Continuaron durante unos 20 o 25 minutos hasta que lograron vulnerar el barrote en el que tenía el candado. Era cuestión de minutos para que terminaran de entrar. Siempre supe que al final entrarían, pero mi resistencia significaba solo eso: resistir, no ceder, no doblegarme.

Entraron. Cuando lo hicieron ordenaron que me apartara, desafiantes y buscando que reaccionara violentamente. No caí en la tentación, aunque confieso que ganas no me faltaron de continuar resistiéndome, pero no tenía sentido ya que, de haberlo hecho, hubiesen manipulado la versión de lo ocurrido y me hubiesen endilgado la carga de la violencia.

—Siéntese en esa esquina y no se mueva.

Eran ocho o diez funcionarios dentro de la celda, algunos con miradas de odio que nunca había visto, un odio, un resentimiento profundo que revelaban con la actitud y la mirada. No era la actitud de todos, pero sabía que lo que buscaban era intimidarme y llevarme al terreno de la violencia.

—Siéntese —volvieron a insistir—, siéntese y no se mueva.

Me negué y no pudieron hacer nada, ordenaron que una cámara grabara cada movimiento.

Comenzó una larga requisa, la más larga de las catorce que me han hecho. Libro por libro, hoja por hoja, revisaron todo, leyeron todo, movieron todo. Tenía unos doscientos o trescientos libros y revisaron cada uno buscando cartas, escritos y el principal objetivo: el teléfono celular. Estaban buscando cualquier cosa que pudieran usar en mi contra, especialmente el teléfono. Levantaron las baldosas del piso, abrieron la comida, desarmaron la nevera y la cocinita, rompieron un saco de boxeo y sacaron todo el relleno, abrieron el colchón, las almohadas, abrieron huecos en las paredes, desarmaron los enchufes de electricidad, abrieron huecos en el techo. La operación de requisa se extendió durante siete horas desde las ocho de la tarde, cuando entraron, hasta las dos de la madrugada.

El jefe de la comisión era un tipo violento, frío y calculador. Vestido todo de negro, indumentaria, chaleco, botas, armas, linternas, navajas. Mientras daba las órdenes comía una chupeta roja, algo bastante extraño para sus funciones. El tipo se movía con frialdad de un lado a otro, daba órdenes y lamía la chupeta roja. Me causaba impresión y me reía de lo que veía.

—¿Y siempre que requisa come chupeta? —le pregunté.

—Sí, es mi ritual —respondió.

Eran ya como las once de la noche y no habían conseguido nada. Les pregunté qué buscaban o querían. El teléfono, dijeron. Decidí entonces dárselo. Les dije: «Bueno, se lo voy a dar». Antes que entraran le había dado un martillazo al teléfono para que no tuvieran ninguna posibilidad de inventar cualquier cosa en caso de que lo encontraran. Fui al lugar donde lo tenía escondido (debajo de una silla que habían revisado unas diez veces sin poder encontrarlo). En el fondo me decía: «Estos tipos son unos fanfarrones». No pudieron encontrarlo y se lo tuve que dar. Esperaba que con eso terminara la larga requisa. Todo había sido revisado y desordenado, no quedaba papel sobre papel. La respuesta fue: «Vamos a seguir». Así fue, continuaron sin éxito hasta la 1:30 de la madrugada. Pensaron que se llevaban un trofeo y lo que tenían era una chatarra. El teléfono era una excusa, la requisa era realmente para intimidarme, para responder a lo que había pasado días antes.

El lunes de esa semana Lilian se había reunido con Salil Shetty, secretario general de Amnistía Internacional, el martes con José Miguel Insulza, secretario

general de la OEA, y el miércoles con el vicepresidente de Estados Unidos, Joe Biden. La requisa fue claramente una requisa en respuesta a estas reuniones, una
requisa retaliativa[1].

Estoy desde la madrugada del 13-F en el tigrito, aislado, sin comunicación ni visita. Pude meter una mesa,
una silla y un par de libretas para escribir. Voy a aprovechar para escribir estos días.

Durante la requisa, a eso de las doce, bajó un poco
la tensión y pudimos conversar. Me preguntaron sobre
el coleo, sobre el boxeo y sobre los libros. El jefe de la
comisión, cuando vio que estábamos conversando, les
llamó la atención y me dijo:

—Señor López, cuando usted sea presidente nosotros estaremos en la guerrilla.

Le respondí con una pregunta:

—¿Eso significa que ustedes avalan el secuestro, el
homicidio, la violencia como forma de lucha?

No respondió y volvió a decir lo mismo:

—Ya lo hemos hablado, estaremos en la guerrilla.

La comisión que realizó la requisa es parte de unos
grupos de la DGCIM que están en la primera línea de
operaciones especiales y están involucrados en secuestros, asesinatos y acciones al margen de la ley, pero bajo
la manta de la impunidad, el uniforme y la chapa. Son
grupos vinculados al cartel de los Soles[2] y a sus jefes

---

1. «A modo de represalia».
2. Conjunto de miembros del alto mando militar de las Fuerzas
Armadas de Venezuela implicados en el tráfico internacional de drogas.

en la DGCIM, actuales y anteriores. El Pollo Carvajal, general del Ejército, señalado como parte de este cartel, es el responsable de haber montado esta red de delincuentes con uniformes de la DGCIM.[3] Él y su mano derecha, el general Wilman Hernández Aquino, quien vino personalmente a la última requisa que me hicieron, manejan este grupo delincuencial. Tengo que decir que estoy seguro de que no todos los funcionarios están metidos en esto, pero muchos son obligados a actuar por una frase nefasta y oscura que se repite en todas las instituciones: «Por órdenes superiores».

Luego del comentario de la guerrilla les pregunté:

—¿Cómo ven ustedes la situación del país?

No hubo respuesta directa, uno me preguntó a mí:

—¿Porque está usted aquí?

—Por querer un cambio y trabajar para lograrlo —le dije.

Entonces otro dijo:

—¿Y cómo lo van a lograr?

—Con gente, votos y Constitución; hoy somos amplia mayoría los que queremos cambio —le dije.

—Bueno, pero nosotros no —me contestó.

Se les llama así porque a los oficiales se les imponen medallas en forma de sol cuando ascienden de cargo. El exjefe de seguridad de Hugo Chávez y Diosdado Cabello, Leamsy Salazar, acusó a este último de ser uno de sus cabecillas.

3. Hugo Armando Carvajal (1960), conocido como el Pollo, es un general retirado de las FANV. Fue jefe de la Dirección de Inteligencia Militar (DIM), antecedente de la DGCIM, entre 2004 y 2011.

—Quizá usted no, pero en su familia, entre sus amigos y vecinos estoy seguro que muchos sí quieren cambio —le comenté. No hubo respuesta.

GOLPES A MI PUERTA. O A MI CELDA.

> Bienaventurados los que sufren persecuciones
> por causa de la Justicia,
> porque de ellos es el reino de los cielos.
>
> MATEO 5, 10

Ayer en la audiencia del juicio en mi contra y de otros cuatro estudiantes, Diana me entregó el libro que me mandó el actor y director Héctor Manrique, *Golpes a mi puerta*, de Juan Carlos Gené, dramaturgo y actor argentino. Este libro llegó en el momento preciso y me impactó. Trata de unas religiosas de la Iglesia católica identificadas con los sectores populares, Ana y Úrsula, que accidentalmente encubren a un perseguido por las fuerzas militares. Hay una denuncia anónima y requisan la casa, torturan al joven hasta matarlo, mientras que a las monjas les ofrecen la posibilidad de ser liberadas a cambio de mentir. Ana opta por la verdad y es fusilada.

Lo relevante es la reflexión que insta a hacer sobre el compromiso y los riesgos de asumir y defender la verdad. La lucha interna por asumir la verdad, la que se tiene, con todas y frente a todas las consecuencias. Me ha hecho pensar y afianzar algunas ideas sobre la «persecución por causa de la justicia». Hay una escena en la que los esbirros golpean la puerta antes de apresar a Ana; me ha llegado a lo más profundo, me ha hecho recordar las requisas a las que hemos sido sometidos.

19 DE FEBRERO DE 2015

Hoy se alzó el penal. Por primera vez en años se dio un motín en la cárcel de Ramo Verde. Comenzó en horas de la mañana, en el anexo A. El detonante fue una requisa irrespetuosa a un recién detenido. Digo detonante porque desde hace semanas, incluso meses, la situación de los atropellos a los internos venía aumentando. Varios internos del anexo A me habían comentado de la inconformidad con las requisas, la restricción de la visita, los atropellos del director, la falta de comida, el incumplimiento de las actividades permitidas. Un cúmulo de atropellos que se fue acumulando que finalmente estalló en la mañana del 19-F. El alzamiento comenzó en el piso cuatro, donde están los soldados, e inmediatamente se sumaron los otros pisos incluyendo el piso dos, donde están los oficiales superiores y el general Baduel. Tomaron las puertas, bloquearon el acceso a los custodios cerrando las rejas con candados y cadenas, quemaron colchones en la entrada y tomaron el techo del penal. La exigencia era concreta: la renuncia del director Homero Miranda y el respeto a los derechos humanos y al reglamento que permite visitas y acceso a todas las actividades. La respuesta de la custodia fue inmediata, llegaron a las once más de 300 miembros de la GN antimotín, equipados con tanquetas.

En nuestro anexo la situación estaba calmada.

A eso de dos de la tarde, escuché que me llamaban de afuera. Me encaramé en la mesa, puse una silla encima para alcanzar la ventana llena de barrotes y pude oír que me llamaban desde el techo:

—Epa Leo, aquí estamos, tomamos el anexo, estamos montando las pancartas y el documento de las exigencias, ¿qué nos recomiendas?

Les dije que solicitaran la presencia de la Defensoría del Pueblo y que elaboraran un documento breve con las violaciones y exigencias.

—Ok, mira, también vamos a poner lo de tu liberación, estamos contigo.

—Bien, hermano, cuando lo tengan léanmelo —les dije.

Minutos después volvieron a llamarme y me leyeron el documento.

—Leo, pásanos los teléfonos de tu gente para llamarlos e informarles. Te bajamos un ascensor. —Un ascensor es un sistema en el que nos pasamos objetos entre celda y celda, entre piso y piso. Es un guaral, estambre o mecatillo con una piedra de contrapeso y el paquete metido en una bolsa plástica. Bajaron el ascensor y les pasé el número de teléfono de la Defensoría, el de Lilian y el de Juan Carlos, mi abogado—.

Listo, hermano, ya llamamos, vamos a llamar a Lilian para informarle.

No supe más nada de lo que ocurría por una hora hasta que a las tres subió Llovera, uno de los compañeros de piso. Estaba exaltado y me dijo:

—Leo, se vienen los tipos, son un bandón y te quieren sacar de aquí, no lo vamos a permitir, me acaban de caer a palo y me vine.

En ese momento todo cambió, en cuestión de segundos el ambiente era otro, se venía la confrontación con la guardia.

—Les impedimos que entraran, pero se vienen, vamos a tumbar todas las cámaras.

En minutos tumbaron las doce cámaras que estaban en el anexo y subieron al piso dos, ahí estoy.

San Félix, un interno que estaba en el tigrito de enfrente, estaba inquieto por querer salir, me decía: «Voy a tumbar la pared». La verdad, no creía que podía hacerlo, pero le pasaron una cabilla y en menos de diez minutos abrió un boquete por un lado de la pared y logró salir para incorporarse en el entrompe en contra de la guardia, que intentó subir pero fue recibida con piedras, y no avanzaron. Fue entonces cuando escuché disparos. Disparos de escopeta dentro del edificio que retumbaron como una bomba cada uno. Un sonido estremecedor junto a las llamaradas. «Nos están disparando.» Pero seguían resistiendo, uno de los muchachos logró reventar la reja para subir al piso tres, donde está la celda de Ceballos, quien no estaba porque fue de traslado a juicio. Al verse que se venían más de treinta guardias disparando y, luego de que lanzaran una bomba lacrimógena, subieron al piso tres y dos se quedaron en su celda.

Yo seguía encerrado en mi celda y asomado por la pequeña ventana. Era poco lo que podía ver. Lo último que escuché de mis compañeros fue: «Leo, mosca hermano, vienen por ti, prepárate». Me asomé por la reja y me encontré con un guardia apuntándome con una escopeta a la cara.

—Quieto, quédese quieto.

Le respondí:

—¡Están locos, baje la escopeta, o es que me quiere matar!

No bajó la escopeta y se vino un grupo grande a la puerta, a la reja de mi celda. Vi que intentaban entrar y me metí en el baño.

—¿Qué pasa? —les dije.

Eran los guardias y los custodios con cascos chalecos, escopetas, escudos.

En eso un capitán que tenía un chaleco antibalas en el brazo me dice:

—Póngase el chaleco que nos vamos,

—¿Nos vamos, a dónde? —le pregunté.

Insistieron, la situación era muy tensa.

—Vamos, tenemos la orden de sacarlo.

Les comenté:

—Yo no salgo de aquí sin mi abogado y sin la presencia de la Defensoría.

—Ellos están abajo —me dicen.

—Si están abajo que suban.

Se negaron a traer a la Defensoría y siguieron insistiendo:

—Véngase con nosotros.

Me recosté contra la pared de la regadera y les dije:

—Si me van a sacar, va a tener que ser a la fuerza y si me tocan podré responder.

Sabía que no podía medir fuerzas pero al menos no me sacarían pasivamente, estaba dispuesto a dar la pelea, estaba mentalizado a evitar que me sacaran y si lo hacían iban a tener que neutralizarme. En esa situación estuvimos unos cinco minutos hasta que desistieron.

—Bueno, quédese aquí, pero vamos a cerrar la celda.

Les dije:

—Ya está cerrada, lleva cerrada una semana desde que me metieron en el tigrito.

Finalmente se fueron, tomaron el anexo, consiguieron a los muchachos, los sometieron, esposaron y metieron en celdas separadas.

Hoy en la mañana pude atar algunos cabos adicionales sobre lo que verdaderamente ocurrió. Un custodio me confesó que los internos del anexo estaban con una pancarta y consignas de «Liberen a Leopoldo», querían rescatarme del tigrito. Eso prendió las alarmas de los custodios y motivó venirme a sacar de la celda, y muy probablemente del penal para trasladarme a los sótanos de la DGCIM o a algún otro sitio. Ya esta amenaza de traslado me la habían hecho en varias oportunidades; hace unas semanas en la madrugada, vinieron a mi celda y me dijeron: «Prepárese porque sale de traslado en unas horas». Pregunté adónde. Me dijeron que al aeropuerto. Eso nunca sucedió, pero ahí quedó sembrada la amenaza.

El custodio que me contó lo ocurrido me dijo antes de irse:

—Bueno, hermano, es que aparentemente usted es el líder del penal y lo querían sacar del tigrito. El líder del penal y de un bandón de gente allá afuera.

Y se fue.

3 DE MARZO DE 2015

Hoy se llevaron de traslado al INOF a las dos muchachas, Marisol y Lindy, y a la capitana de aviación Laided Salazar.

A la capitana Laided la han involucrado con el supuesto golpe en gestión de la Aviación. En marzo del año pasado ella, conjuntamente con otros oficiales de la Aviación, fue detenida por la DGCIM. En agosto llegaron a Ramo Verde y a la capitana Salazar la ubicaron en la planta baja del anexo B, donde estamos nosotros. Cuando llegó había otras dos funcionarias, la teniente del Ejército Eulym y la soldado Yubistzy. Eulym salió en libertad plena luego de tres años y de haberse comprobado su inocencia ante una acusación montada por el famoso caso de las cabillas. Casos de injusticia, de la justicia puesta al servicio del poder y los intereses políticos.[4]

La capitana Salazar es una mujer llena de ideales por una Venezuela mejor. Se formó como odontóloga y se asimiló a la Aviación para desarrollar su profesión como uniformada. Tiene un hijo de diez años, Rafael, y su esposo es un ingeniero que trabajaba en el área petrolera, en sísmica, y fue despedido por reducción de actividades hace un año. Ella presa y él desempleado. Vivían en casa de guarnición en Maracay, pero por el proceso legal y la persecución en su contra le quitaron la casa. Desempleados, sin casa y perseguidos. Y sin embargo nunca la vi triste, deprimida o desanimada. Todo lo contrario, siempre mantuvo un espíritu alegre y colaborador. Durante los días que he estado en esta etapa de aislamiento ella nos preparaba la comida y buscaba la manera de que nos llegara. Cocinaba muy bien, lo que más me gustaba eran unas panquecas con zanahorias que sacaba de la pequeña siembra que pudimos montar con la dirección de Daniel.

Su caso es el de una familia que le ha caído un obstáculo tras otro, una familia que hoy no tiene un horizonte claro pero que se mantiene unida y esperanzada de que las cosas van a cambiar en Venezuela.

Hace dos noches, a eso de las once, escuché el sonido penetrante de los candados y un movimiento de gente

---

4. Se refiere a un caso de venta clandestina de cabillas procedentes de la empresa nacional siderúrgica SIDOR que saltó a la luz en 2011.

en el piso de abajo. Al día siguiente me enteré de que era una comisión designada por el ministro de Defensa Padrino López que venía a notificarle a la capitana que había sido dada de baja. Fue un proceso violatorio de sus derechos ya que no se le permitió la presencia de sus abogados. Así, entre gallos y medianoche le dieron de baja, la botaron de las Fuerzas Armadas, le dieron fin a su carrera profesional como uniformada.

Ese paso era necesario para poder sacarla de este penal y llevarla al INOF. Hoy vinieron a las cinco de la tarde y sin explicaciones le dijeron: «Prepárese que se va al INOF». No pude despedirme. Antonio Ledezma sí tuvo la oportunidad de despedirse y me dijo que estaba firme, como ha sido su comportamiento todos estos meses. Ella sabía que esto le podía pasar y estaba preparada. Pero no dejo de pensar en su hijo de diez años que no le encuentra explicaciones claras a lo que ocurre con su mamá y ha estado afectado por lo que les está ocurriendo como familia.

El impacto de una prisión injusta para la familia es enorme. Sobre todo si sus casos pasan por debajo del radar de la opinión pública y son sometidos a toda clase de atropellos sin ni siquiera tener la posibilidad de que sus casos sean conocidos. Su situación es una más de las muchas que he podido conocer, pasan sin ser advertidas y, sin duda, son muchos casos de presos políticos.

La construcción de expedientes falsos, de acusaciones infundadas, es una práctica mucho más frecuente

de lo que imaginamos. Son casos que no necesariamente están vinculados a la política nacional, pero
que son pases de factura y chivos expiatorios que permiten que los poderosos se salgan con la suya con impunidad cómplice, culpando a otros. Ramo Verde está
lleno de historias de este tipo. Casos que requieren
un culpable pero que nunca llegan a los verdaderos
responsables de los delitos, culpables de la corrupción
corrosiva dentro de la Fuerza Armada.

Cada caso es una nueva razón para afianzar el
compromiso, nuestro compromiso con la justicia
para Venezuela. No hay reforma más importante de
las que nos toca hacer que la del sistema de justicia
venezolana. Hoy la justicia se vende al mejor postor
y es utilizada al antojo por quienes están en el poder.
Los jueces son simples marionetas del poder. Están
allí para satisfacer las demandas de la injusticia y,
mientras tanto, usan los casos para enriquecerse, para
quitarle lo que no tienen a quienes nada tienen, para
hacerse ricos con el dolor y sufrimiento de las víctimas y dejan como afectados directos a sus familiares.
No hay razón para esto, es indignante ver la justicia enterrada debajo de toneladas de corrupción. Eso
nos tiene que afianzar el compromiso con un cambio
profundo para todos los venezolanos porque hoy nadie se escapa de la injusticia. Solo la élite corrupta es
inmune a esta manipulación.

Mientras escribo estas líneas, la capitana Salazar
está pasando su primera noche en el INOF. Para los

presos la primera noche es la más difícil. Me pregunto qué estará pensando, en qué condiciones estará. Pienso en el trágico relato de la juez María Lourdes Afiuni, que por haber acatado una solicitud de liberación de la ONU terminó en el INOF y fue torturada, violada y humillada. Le pido a Dios que ese no sea el destino de Salazar y que pueda sacar todas sus fuerzas para aguantar este castigo injusto al que está siendo sometida. Le pido a Dios por su hijo, por sus padres y por su esposo Rafael, al que le toca la difícil tarea de ser padre y madre mientras su esposa está sometida a la incertidumbre de una nueva cárcel.

10

APRENDIZAJE Y COMPRENSIÓN DEL COMPONENTE MILITAR

En unos días cumplo quince meses preso, en condiciones particulares, una de ellas es que como civil convivo con militares. Ramo Verde es antes que todo una unidad militar en donde presos y custodios son militares. Los civiles somos minoría, incluso en el edificio principal la organización de los presos guarda la jerarquía militar: los sargentos en el piso uno, suboficiales en el piso dos, oficiales superiores en el piso tres, soldados en el piso cuatro. Los custodios también son militares y rotan entre componentes. Cuando llegué estaba a cargo la Guardia Nacional, luego le tocó al Ejército y ahora está la Armada, que en unos meses deberán ser reemplazados por la Aviación. De 180 presos aproximadamente, solo unos 20 somos civiles, el resto militares procesados o condenados por delitos vinculados a su condición de militares. Esta experiencia me ha permitido conocer de cerca el componente militar que para la mayoría de los civiles es una interrogante muchas veces llena de prejuicios. Entre los militares hay realidades muy distintas: la tropa aislada o soldados son la base de esta pirámide, compuesta en su mayoría por jóvenes que buscan en la carrera militar la estabilidad de un trabajo fijo. Pocos son los que luego de ser tropa pasan a ser tropa profesional en calidad de sargentos.

Si bien la mayoría de estos jóvenes buscan un mejor futuro entrando en la carrera militar, la realidad con la que se encuentran no es muy alentadora desde el punto de vista económico y de estabilidad. Un soldado gana por debajo del sueldo mínimo, no tienen seguro que los ampare a ellos ni a sus familias y las expectativas de carrera son limitadas, razón por la cual muchos regresan a la vida civil luego de unos años.

En Ramo Verde, los soldados de tropa aislada están limitados a la seguridad del perímetro y el mantenimiento del entorno, no tienen contacto directo con los presos ni cumplen labores de custodios. En el siguiente nivel están los sargentos o tropa profesional. Para ser sargento el requisito es permanecer un año de instrucción formal en alguno de los centros de formación de cada componente.

La carrera de sargento puede llegar a ser una carrera de treinta años que va desde sargento hasta sargento ayudante (la mayor jerarquía de tropa profesional). Hace unos años se promovió un cambio en la ley de carrera militar que permitió a los sargentos de carrera acceder a jerarquías de oficiales con un curso de equivalencia. Este cambio, que inicialmente estaba concebido para cargos técnicos y de apoyo, hoy se aplica a toda la estructura, permitiendo que un sargento pueda llegar a general de división. Los resultados de este cambio tienen aspectos a discutir.

Una de las promesas, o más bien obligación constitucional, incumplida es la creación de un sistema de seguridad social para los militares. Luego de dieciséis años de aprobada la Constitución que contempla este sistema de seguridad particular para los militares, todavía no se ha hecho realidad. De hecho, beneficios sociales que antes eran atractivos como el Instituto de Previsión Social de la Fuerza Armada Nacional Bolivariana (IPSFA) hoy son un recuerdo. Hace dos años introdujeron la Misión Negro Primero con la intención de atender las necesidades sociales de los militares pero su desempeño ha sido bastante cuestionable. Varios militares me han comentado sobre su desacuerdo y descontento con el esquema de esta Misión que los pone a hacer colas y a aplaudir frente a las cámaras de televisión estatal cuando les entregan un televisor o un artefacto de línea blanca.

Las carencias de los militares son iguales a las de todos los venezolanos: vivienda, salud, inflación, escasez e inseguridad. En la actual distribución de la economía, los militares están igual de mal que el resto de los trabajadores.

El futuro democrático de Venezuela depende de una perspectiva más clara, más directa, sobre lo que es la realidad militar del país. La definición de la estrategia militar no es asunto exclusivo de militares. De hecho, en democracia la definición de las prioridades es una estrategia de defensa nacional, y es una responsabilidad política de la primera magistratura, es decir, del presidente, quien tiene la obligación compartida de jefe de Estado, presidente y comandante en jefe de la Fuerza Armada Nacional, y esta debe definirse en acuerdo con otros sectores del Estado.

En el caso venezolano, la hipótesis de conflicto impulsada en todos los terrenos desde hace unos años se fundamenta en el antiimperialismo, es decir, en que los venezolanos estamos «sometidos» a presiones económicas, sociales y políticas por parte del imperio, específicamente el estadounidense, y que, en consecuencia, según esta teoría, la primera responsabilidad de defensa de la nación es mitigar y preparar acciones para ataques desde «el imperio». Esta hipótesis de conflicto sustituyó a lo que por años fue una hipótesis que se fundamentaba en el resguardo de las fronteras, en particular la de Colombia.

Las consecuencias administrativas, operativas, políticas y diplomáticas de la hipótesis de conflicto antiimperial han calado hondo y han sido determinantes en la estrategia por parte del Estado de adquisición de armamento, discurso, despliegue de las fuerzas y la relación con ciertos factores como grupos irregulares, que han pasado de ser una amenaza a colaboradores en la lucha antiimperial. Esta hipótesis ha dado pie a que se ponga en un segundo plano de prioridad el tema de la guerrilla y otros grupos irregulares venezolanos y extranjeros que operan en el territorio nacional.

De esta manera, las decisiones en la estrategia de equipamiento militar han respondido a esta lógica, priorizando compras multimillonarias de misiles y otros equipos para hacer frente a «la guerra» asimétrica con el imperio, poniendo en segundo plano la capacidad operativa y táctica de los componentes militares frente a reales amenazas palpables como son los grupos irregulares, el narcotráfico e incluso la defensa del territorio nacional como se ha puesto en evidencia con la entrega voluntaria del territorio y las aguas correspondientes al Esequibo, que, por negligencia o por diseño antipatriótico, ha sido entregado de manera voluntaria y cómplice a Guyana.

Yo estoy convencido de que es necesaria una nueva definición de la hipótesis de conflicto que nos permita adecuar las Fuerzas Armadas Nacionales a la realidad a la que hoy está sometido el pueblo de Venezuela.

Esta definición debe servir como punto de partida para una nueva estrategia de defensa nacional, porque es necesario comenzar por definir con precisión cuáles son las reales amenazas a las que estamos sometidos en el territorio. El narcotráfico y el contrabando son en mi opinión las prioridades a ser tomadas en cuenta para consolidar a futuro una Fuerza Armada democrática y soberana.

Requerimos de una Fuerza Armada Nacional profesional, altamente equipada, y entrenada. En mi opinión el problema del gasto militar no es cuánto se gasta o invierte en el ámbito militar, sino en qué se invierten los recursos. La primera prioridad del gasto debe ser la estabilidad de los militares y la capacidad operativa, que hoy está muy disminuida. Aprobar un sistema de seguridad social como lo establece la Constitución, mejorar el equipamiento de las unidades, fortalecer y profesionalizar el entrenamiento y la capacitación. Con lo que se ha destinado al gasto militar durante los últimos años es injustificado que hoy tengamos unidades completas prácticamente estancadas por falta de equipamiento y mantenimiento básico.

Hoy, muy lejos del discurso oficial que habla de una Fuerza Armada Nacional patriota e independiente, tenemos una Fuerza Armada subordinada a los intereses de Cuba, que ha llegado a tener un control escandaloso sobre la dinámica y la toma de decisiones dentro de esta institución. Es notoria la presencia cubana en distintos niveles y en particular de su control político, ejercido entre otros mecanismos por la DGCIM, anteriormente DIM.

En todos los niveles, pero especialmente para los oficiales superiores, la presencia de funcionarios de la DGCIM es la de emisarios políticos que están a la caza de cualquier señal que identifique a un oficial con un pensamiento crítico o disidente. Es una gran contradicción que a pesar de que la Constitución del año

1999 permite a los militares ejercer el derecho al voto, la realidad es que cualquier señal de que un militar tenga una tendencia o intención de votar a favor de la oposición es interpretada como traición y puede costar la carrera o incluso la cárcel.

Uno de los daños más graves de la tesis antiimperialista es que abre espacio a la idea del enemigo interno. Es decir, venezolanos que, según la tesis oficial, son enemigos de la patria por ser lacayos del imperio. Bajo esta categoría entramos todos quienes disentimos de este Gobierno y somos referidos sin límites ni tapujos como apátridas e imperialistas.

11

LA HUELGA DE HAMBRE

Pueden torturarme, pueden encarcelarme,
pueden incluso matarme...
y tendrán mi cuerpo... no mi obediencia.

GANDHI

Este es el momento más duro que he pasado desde que llegué a Ramo Verde. Son las dos de la mañana del sábado 23 de mayo de 2015, se acaban de llevar secuestrado a Daniel Ceballos, mi hermano y compañero de cárcel durante más de un año. Un grupo de más de doce hombres fuertemente armados, encapuchados, entraron a su celda y contra su voluntad, sin una orden judicial ni mucho menos presencia de un defensor o abogado alguno, se lo llevaron.[5]

5.   Ceballos fue trasladado a la Penitenciaría General de Venezuela, en San Juan de los Morros, Guárico.

Lo último que pude ver de Daniel fue un breve saludo, bajaba esposado y pudo acercarse a la pequeña ventana de la reja de mi celda: «Hermano, contra mi voluntad me trasladan, me voy en huelga de hambre, sepa que usted es más que mi hermano, lo quiero. Fuerza, hermano, fuerza. Me llevan a San Juan de los Morros, no me dan más información, me llevan secuestrado».

Y así, de manera abrupta, sin haber siquiera pensado que llegaría una medida semejante, se llevaron a quien ha sido mi gran compañero y, como él mismo lo dijo, más que hermano.

Con el traslado de Daniel vuelvo a quedar solo en este anexo de la cárcel. Aislado en mi celda de 2 x 2 m, y aislado en un edificio en donde ya no hay otro preso sino yo. Igual a los primeros treinta días antes de la llegada de Daniel, Enzo y Salvatore, en la madrugada del 18 de marzo de 2014. Los cambios siempre ocurren en la madrugada.

La partida de Daniel me afecta sobremanera. Hemos desarrollado una amistad muy grande y teníamos el compromiso de ocupar el tiempo con distintas actividades que antes no hacíamos. Aprendimos a tocar cuatro como autodidactas; durante los meses que podíamos ir a la cancha, jugamos básquet. Cuando nos quitaron la cancha, lo convencí de que boxeáramos una vez al día. Las últimas semanas habíamos tomado las matemáticas y con el libro de Baldor, con el mismo con que aprendimos en bachillerato, estábamos trabajando capítulo a capítulo.[1] Daniel me enseñó a jugar ajedrez y yo siempre le daba libros para luego discutir. Habíamos aprendido a invertir el tiempo en la cárcel, a mejorar en todos los ámbitos y a hacer de la adversidad una oportunidad de crecimiento.

Daniel y su esposa Patricia tienen tres hijos: María Victoria, María Verónica y Juan Daniel, de siete, cinco y tres años, respectivamente. Son de la misma edad de Leopoldo y Manuela y eso nos permitió que, durante algunos días de visita, pudieran compartir con mucha normalidad y jugar juntos, lo que atenuaba para ellos el ambiente carcelario. Si había otros niños, eso lo hacía más normal. Los niños desarrollaron una gran amistad, especialmente Manuela y Verónica. Juan Daniel y Leopoldo manifestaban cierta rivalidad y también nos reíamos mucho de eso. Y así como Daniel y yo desarrollamos una hermandad, Lilian y Patricia también se unieron mucho durante todo este largo y duro proceso. Nuestras familias están unidas, muy unidas en este camino que nos ha tocado recorrer.

A partir de hoy, 23 de mayo, las cosas serán distintas. No tendré con quién hablar ni con quién realizar distintas actividades que hacían más llevaderos los días de prisión. Ahora estoy más preso, más aislado, más cercado por la dictadura de los cobardes que hoy detentan el poder.

1. El libro, titulado *Álgebra* y escrito por el cubano Aurelio Baldor, fue publicado por primera vez en 1941 y ha sido el más usado en las escuelas de América Latina.

Esta última arremetida comenzó la semana pasada. Era el fin de semana de las primarias de la Unidad. El viernes, 15 de mayo de 2015, durante los cinco minutos de llamada por el teléfono público que nos permitían, Daniel llamó a Patricia y le dio un mensaje de fuerza y de apoyo al equipo de Voluntad Popular que estaba con ella. Los invitó a votar y trabajar duro por la victoria del domingo. Al día siguiente no le permitieron llamar y nos dijeron que era por haber hecho una llamada con «contenido político». Yo venía saliendo de un castigo de un mes de aislamiento y no podía llamar y a Daniel le habían reducido las llamadas a cinco minutos.

Ese sábado, 16 de mayo, subió el coronel Miranda y, con la soberbia y la arbitrariedad que lo caracterizan, nos dijo:

—Ya no van a poder llamar.

—¿Por qué? —preguntamos.

—Porque me da la gana y aquí mando yo. Y no me vengan a hablar de sus derechos ni de la Constitución porque fueron ustedes los que violaron la Constitución llamando a la salida de Maduro —respondió.

—Ah, entonces usted ahora también es juez, usted nos condena, nos encuentra culpables de un proceso que no ha terminado. Usted manda más que la juez.

—Llévenselos a su celda.

Al día siguiente, el domingo 17, Daniel y yo conversamos sobre cómo se venía empeorando nuestra situación, cada día nos quitaban un pedacito de nuestros derechos como presos. Ya no podíamos ir a la cancha ni al gimnasio, nos habían prohibido ir a misa, a nuestras esposas las estaban obligando a una requisa abusiva al venir de visita (las hicieron desnudarse), escuchaban nuestras llamadas y las limitaban a cinco minutos. Nos estaban llevando a un límite y hablamos sobre qué hacer.

Fue ese día cuando consideramos la idea de entrar en huelga de hambre. Yo nunca había estado de acuerdo con esa acción límite, pero por primera vez la comenzamos a discutir en serio. Algo teníamos que hacer.

Por primera vez comenzamos a hablar en serio de lo que significaría una huelga de hambre. Le dije a Daniel que, de hacerla, la teníamos que planificar bien y definir las razones de la huelga y los objetivos. No podíamos dar un paso de esta magnitud como una protesta por las condiciones carcelarias y los abusos, que habían recrudecido. Porque, si bien los atropellos nos empujaron a comenzar a pensar en la idea de la huelga de hambre, las razones de dar ese paso fue el análisis sobre la situación que atravesaba el país que hicimos, en especial sobre la intención del Gobierno de no convocar las elecciones parlamentarias que deben realizarse este año, así como las condiciones de todos los presos políticos en el país.

Durante varios días conversamos sobre el tema y, finalmente, acordamos dar el paso una vez que hablamos con nuestras esposas. Pudimos compartir la idea con nuestros abogados, Juan Carlos Gutiérrez y Ana Leonor Acosta, quienes, como es lógico, no estaban de acuerdo al principio, pero luego de hablar sobre la situación en la que estábamos, y la condena cantada que se nos venía encima, entendieron que era un paso drástico, pero que tenía sentido, sobre todo si ya nosotros habíamos decidido darlo.

Pasamos la semana hablando sobre los tiempos, cuándo comenzar, las exigencias y, especialmente, buscando información sobre cuáles eran las condiciones mínimas para llevar una huelga de hambre de manera responsable. Le pedimos a Ana Leonor y a Juan Carlos que nos consiguieran más datos para irnos preparando.

En alguna conversación entre nosotros o con los abogados, se filtró nuestra intención de iniciar una huelga de hambre. Nuestras conversaciones con los letrados son grabadas y, por más que intentemos ser discretos, es posible que alguna información se haya filtrado. La actitud del funcionario de inteligencia militar asignado a estar permanentemente con nosotros comenzó a ser sospechosa; preguntaba cómo estábamos, qué pensábamos hacer, preguntas que buscaban indagar sobre nuestras intenciones.

Pude ver finalmente a Lilian. Un mes sin vernos. Un mes de aislamiento, como castigo, que transcurrió de manera muy lenta, como cada vez que me quitan el derecho a ver a mi esposa, a mis hijos, a mi familia. Gracias a Dios, Lilian pudo venir y le pude comentar en detalle sobre nuestra decisión de asumir una huelga de hambre. Ella se negó rotundamente al principio, pero cuando le expliqué nuestro razonamiento y evaluamos juntos la situación estuvo de acuerdo. «Yo te acompaño en esto, Leo, cuenta conmigo.» Gracias a Dios, tuve la oportunidad de hablarlo con ella y poder acordar lo que debíamos hacer todos, y el mensaje al equipo de Voluntad Popular.

Habíamos pensado darnos unos días de preparación y comenzar el miércoles 27 de mayo, pero los acontecimientos precipitaron el inicio de la huelga. El sábado 23, a los cinco minutos de haberse ido Lilian, subí a mi celda a buscar agua cuando escuché un grito de Daniel: «Hermano, llegaron unos hombres armados y van a tu celda». Yo estaba saliendo de mi celda y me encontré con cuatro funcionarios de civil y armados subiendo la escalera. «Quédese quieto. Siéntese allí.» Pregunté qué pasaba y me impidieron volver a entrar en mi celda cuando lo intenté. «No puede pasar.» En eso subió un contingente de funcionarios de la DGCIM, uniformados y armados, eran más de veinte. Subieron a la celda de Daniel y entraron a mi celda. Otra requisa con el mismo procedimiento que he descrito en ocasiones anteriores. «Saquen todo de la celda», fue la orden de Brito, el jefe de la comisión, el mismo funcionario que había venido en ocasiones anteriores.

Esta vez no solo era una requisa, la orden era sacar todas nuestras pertenencias, libros, artefactos personales, la comida... «Saquen todo y solo dejen el colchón, jabón y cepillo de dientes.» La orden era arreciar, ya no bastaba con tenernos aislados, ahora iban por más, dejarnos sin nada en la celda. «Saquen los libros. Todos, no pueden quedarse con ningún libro.» Ya este funcionario había dado órdenes durante las requisas anteriores de quitarme los libros y habían desmantelado una biblioteca de unos cuatrocientos ejemplares que había agrupado durante mi primer año en prisión. Cuando estaba en la celda más amplia, me cabían los libros, en esta de 2 x 2 m había logrado montar una pequeña biblioteca de unos cincuenta libros, sobre todo de economía, política, narrativa e historia. En esta ocasión, los sacaron todos. Tenían una obsesión con los libros, no dejaba de pensar en la revolución cultural china, cuando mandaron a quemar millones de libros en señal de lo peligroso que eran las ideas autónomas, las ideas y el pensamiento libre. Así le dije al jefe de la comisión: «Su intolerancia y molestia con los libros es un síntoma de la fallida intención de usted y de quienes hoy están en el poder de asfixiar el pensamiento y las ideas de libertad».

Al final, logré que me permitieran tener la Biblia y un solo libro: *Jesús: una aproximación histórica* (2007), del jesuita José Antonio Pagola. Un libro sobre la vida de Jesús que ha sido muy controvertido luego de que la Conferencia Episcopal intentó censurarlo en España.[2] Sin embargo, pude hacer que un libro volviera a mi celda. Entre las violentas requisas en las que me han quitado todo, los libros los encerraban en una celda justo

2. En junio de 2008, pocos meses después de su publicación, la Conferencia Episcopal Española afirmó que el autor parecía «sugerir indirectamente que algunas propuestas fundamentales de la doctrina católica carecen de fundamento histórico en Jesús».

frente en la que me tienen secuestrado, como si fuesen otros prisioneros. En un inventario que hicieron en una ocasión, logré convencer al sargento encargado del levantamiento de que me pasara un libro. Entre la pila arrumada en una esquina, pude distinguir un título que mi padre y mi tío Víctor habían insistido que leyera. Le dije al sargento: «Pásame ese, el del veterinario y los perros». El título del libro, que pude leer atentamente, era *El hombre que amaba a los perros* (2009), del escritor cubano Leonardo Padura, una novela sobre Cuba que narra el exilio de Trotsky y su encuentro con quien sería su asesino, Ramón Mercader, en 1940. Sin duda, una lectura muy relevante para estos momentos.

La Biblia, un par de libros, colchón y libretas vacías. Es todo con lo que quedé en la celda de 2 x 2 metros y un pequeño baño. Se llevaron todo lo demás, toda la comida, toda la ropa, los juguetes que tenía para mis hijos, todo.

Me encerraron a las ocho de la noche y a las nueve y media subieron con un plato de comida más elaborado que de costumbre, hasta perejil le pusieron al arroz, un plato arreglado de manera ornamental. A quienes portaban los platos, los acompañaban dos custodios con sendas cámaras para filmar lo que suponían iba a ocurrir. «Señor López, aquí tiene su cena.» Me asomé y vi a los custodios con una bandeja de alimento y una jarra de jugo, un servicio de hotel de cinco estrellas en lugar del rancho de siempre. «¿Va a comer?», me preguntaron. «No», respondí.

En ese preciso momento del 23 de mayo había comenzado mi huelga de hambre. Confieso que es un paso que doy con algunos temores, nunca he pasado más de dos días sin comer y mucho menos en huelga. Sé que lo estoy asumiendo y lo hago con mucha seriedad y compromiso. Así que estoy claro de los momentos duros que vienen durante los próximos días.

Pasaron un par de horas y a las once de la noche le grité a Daniel: «Hermano, ¿cómo estás?». «Bien, hermano —me contestó—, bueno, ya comenzamos, estamos resteados.» «Así es, hermano, fuerza.»

Pude dormirme a las once y media, pero me desperté a las dos de la mañana, cuando vinieron a llevarse a Daniel secuestrado, supuestamente a la cárcel de San Juan de los Morros. Me consta que Daniel es un hombre de inmensa fortaleza y de profundas convicciones, y que va a poder asumir esta nueva etapa con mucha dignidad.

«Hermano, me voy, pero mantengo la huelga, me voy en huelga de hambre», gritó al pasar. Yo me quedo también en huelga. El hecho de haber tenido que iniciar la huelga de esta manera va a permitir que nos mantengamos unidos en esta nueva fase de la lucha.

Ya son las cuatro y media de la madrugada y voy a tratar de descansar para estar preparado para lo que nos viene. Le pido a Dios que nos acompañe y asumo este paso con la fortaleza que me da la oración y el encuentro con Nuestro Señor Jesucristo. Sé que Daniel también estará fortalecido desde la oración.

Confieso que las jornadas posteriores al 23 de mayo han sido difíciles, he recordado una frase de una película —*118 días* (*Rosewater*), dirigida por Jon Stewart y estrenada en 2014— sobre Maziar Bahari, un preso político en Irán, que me comentó mi abogado Juan Carlos. En ella, el torturador que interrogaba brutalmente a los prisioneros decía: «No solo debes sacarles la sangre, más importante es arrancarles la esperanza». Esa frase resume lo que estamos viviendo y la intención de quienes nos tienen presos y quienes son nuestros carceleros. No solo causar dolor sino arrancar la esperanza. Quitarnos la motivación de pensar en cómo será el país cuando las cosas cambien, arrancar de raíz el motor que nos mueve, que es precisamente esa esperanza.

Han sido unos días largos, muy largos, quizá los más largos, cada vez que busco la hora solo han pasado minutos. Yo estoy claro que el tiempo es un adversario por derrotar cuando se está preso. El tiempo de pensar cuándo saldremos y el tiempo que va pasando. No lo podemos dominar, pero el reto está en que no nos controle, que no nos aplaste el tiempo con su lentitud y con los minutos que parecen horas. Horas viendo el techo, el piso, horas pensando. Sé que en unos días volveré a tener una nueva rutina que me ocupará el tiempo, pero mientras logro esa transición a una nueva rutina sin nadie con quién hablar, o con quién hacer distintas actividades como el boxeo, ajedrez o simplemente hablar, los minutos serán horas. Estoy consciente de eso y me preparo para asumirlo.

Estoy esperando tener alguna información y algún contacto con alguien de afuera, con Lilian, con mis abogados Juan Carlos Gutiérrez y Roberto Marrero, con alguien que pueda venir para comunicarme el paso hacia la huelga y comunicar los términos. Por lo que he podido leer de huelgas de hambre, estas, a pesar de ser una acción individual, requieren algún acompañamiento. Debo prepararme para hacerla en aislamiento y sin apoyo y es por eso que debo comunicarla a alguien cercano.

Es lunes, 25 de mayo, cuatro de la mañana. Solo pude dormir unas horas. Ya estoy formalmente en la huelga de hambre, lo último que comí fue ensalada, unas lechugas, el sábado a las dos de la tarde. Ayer domingo, por alguna razón, que sea cual sea agradezco, me dejaron pasar a Manuela y a Leo, solos, pues no dejan pasar a ningún adulto porque estoy en cuarto de «castigado». Los trajo mi suegra Lilian, no pude hablar con ella, solo me dio una señal de bendición desde la distancia. Cuando vi a mis hijos, no pude contener las lágrimas, se me quebró la voz y solo los abracé. Manuela lo primero que me dijo fue si estaba comiendo, que mami mandaba a preguntar si estaba comiendo. Yo le dije que sí, que poquito, no sabía qué información tenía Lilian, pero por la pregunta de Manuela entendí que su madre estaba clara de que estaba por comenzar o ya había comenzado la huelga. (Cuando hablamos el viernes anterior, habíamos quedado en que comenzaríamos la semana siguiente, cuando tuviésemos las cosas más claras, pero el secuestro de Daniel había precipitado las cosas.) Cuando llegamos a la celda, Manuela me dijo: «Papi, vi tu video». «¿Cuál, Manuela?», le pregunté. «El que grabaste aquí», me señaló la puerta y me volvió a preguntar si estaba comiendo.[3] Le dije que sí y cambiamos el tema. Pero ella insistió. Nos acostamos los tres en la cama y Manu me preguntó por las hijas de Daniel Ceballos, al que llama «tío»: «Papi, ¿no voy a volver a ver a mis primas Verónica y Victoria?». Le pregunté por qué decía eso. «Porque sé que a tío Daniel lo llevaron a otra cárcel. ¿Por qué se lo llevaron?» Le dije que sí iba a verlas, que mami la iba a llevar a su casa. Luego comenzamos a jugar debajo de la cama donde tenemos un pequeño planetario con estrellas y planetas.

La visita fue una inyección de fuerza, el estímulo que necesitaba. Al mediodía salí de la celda, estaban dos custodios en la puerta, justo en la puerta, no se despegaron de allí ni un minuto. Les pedí bajar a calentarles el almuerzo a los niños. Nos sentamos, les calenté una pasta con queso. Rezamos un padrenuestro, un avemaría y la bendición de los alimentos. No me había servido nada y Manuela me preguntó por qué no comía, que comiera algo, así que me serví un plato y solo probé dos bocados para simular que todo estaba normal, no quería preocupar a Manuela que ya a sus cinco años se da cuenta de todo. En todo momento estába-

3. El video, grabado en la cárcel y difundido a través de YouTube el 23 de mayo de 2015, puede verse en <https://youtu.be/lZ6T mAWoc3k>.

mos acompañados de dos funcionarios de la custodia; estaban grabando, su obsesión es grabar y espiar todo.

Subimos, jugamos y llegaron las cuatro y media de la tarde. Bajamos porque habían venido a buscar a los niños. Cuando lo hicimos, me di cuenta de que mi mamá estaba al otro lado de la reja. Al verla, me emocioné mucho. Traté de no mostrarle que estaba afectado por la visita de mis hijos y de ella, pero seguro que se dio cuenta de que, si bien estaba fuerte, no estaba igual que otros días. No pude hablar con ella, pero solo me alcanzó a decir: «Leo, salió tu video. Salió en todas partes».

Era la confirmación de que ya se había comunicado nuestra decisión. No estoy claro de qué fue lo que pasó. El día de la requisa, el 23 de mayo, se llevaron mi teléfono, con el que había grabado un video con la explicación de nuestras razones. No era el mensaje que quería sacar finalmente, solo lo había grabado, pero alcancé a enviarlo antes que me quitaran el teléfono.

En ese momento entendí la razón por la que no me había llegado la prensa ayer y del cambio de actitud de la custodia, que insistían en que comiera y en tomarme fotos mientras estaba con los niños. Ya era público. No sé cómo salió el video, pero el caso es que ya era público y que con esa comunicación iniciaba la huelga. No tengo información sobre Daniel, pero estoy seguro de que también está cumpliendo con la huelga como lo conversamos al despedirnos. Nos veníamos preparando y sabíamos lo que teníamos que hacer.

No tengo información de qué ha sido publicado sobre nuestra decisión, ni tampoco de las acciones en paralelo a la huelga que le había comentado a Lilian debíamos activar. Sé que otros presos políticos se van a sumar y que otros en la calle harán lo mismo.[4]

Es el último recurso que tenemos para darle relevancia, para ejercer presión sobre la solución del problema de los más de setenta presos políticos. Con el traslado de Daniel a una cárcel diseñada para criminales condenados, una cárcel de máxima seguridad, el régimen dejaba clara su intención de condenarnos a todos, de llevar el proceso de encarcelamiento hasta el final, pero nos toca a nosotros entonces dar este paso.

Espero que podamos tener la solidaridad afuera y lograr un diálogo a favor de la liberación de los presos, no solo es mi caso y el de Daniel, somos más de setenta venezolanos presos por nuestras ideas, presos por querer un cambio. Espero que podamos generar la suficiente presión nacional e internacional para que el Gobierno fije las fechas de las elecciones parlamentarias que deben realizarse, sin excusas, este año.

Como lo decía Martin Luther King, las acciones de no violencia buscan generar las condiciones para que quienes no quieren diálogo tengan que hacerlo. Es una medida de presión para pasar a un próximo nivel en la solución de la reivindicación. No es una lucha pasiva,

---

4. Más de cien personas, entre presos políticos, líderes y activistas, se sumaron a la huelga de hambre.

es activa, es utilizar las herramientas de una protesta no violenta para irrumpir en la calma en la que los opresores estén cómodos. Es salir de la comodidad de la dinámica opresor-oprimido, pero sin violencia. La huelga de hambre es una medida extrema de no violencia, radical y quizá incomprendida por muchos, pero cuando se ha llegado a un límite es la única puerta que nos queda abierta.

Ayer, domingo 24, al irse los niños, el coronel Almeida me comunicó que había un fiscal del Ministerio Público que quería hablar conmigo. Me preguntó si lo iba a recibir y le dije que no, pero que le quería decir personalmente mis razones de por qué no lo recibía. Se acercó a la reja el fiscal de Derechos Fundamentales y le dije que no tenía ninguna confianza en la Fiscalía y mucho menos en la Dirección de Derechos Fundamentales, que durante más de un año nos había visitado solo para engañarnos, para manipular nuestra condición de presos políticos y para mentir sobre nuestras condiciones. Además, le dije que mucha menos confianza tenía en la Dirección de Derechos Fundamentales luego de la designación de Tabares como su director. Juan Carlos Tabares Hernández, que ocupaba ese cargo desde abril de 2015, era el fiscal que designó la fiscal general a mi juicio hace unos meses. Un hombre atorrante, engreído y lleno de maldad. En el juicio llegó a confesar que no actuaba de buena fe, dejó clara su posición política y, obviamente, siendo quien me acusaba y quien buscaba condenarme en juicio a más de diez años de prisión, no podía constituirse ahora en defensor de mis derechos.

No hay autonomía de los poderes públicos, ninguna. Ya en nuestro caso hay una articulación de todos los poderes, de todas las instancias del Estado venezolano para actuar en nuestra contra. Es la dictadura. Todavía me sorprende que haya personas, dirigentes, de la oposición que se niegan a asumir frontalmente que estamos en dictadura. Hoy son muchos menos que el año pasado, pero todavía hay quienes no terminan de entender que, de no asumir que estamos en dictadura, no podemos definir con claridad una ruta para salir de ella.

Tengo que hacer un reconocimiento a la gestión de Jesús *Chúo* Torrealba al frente de la MUD. Chúo ha asumido con vigor la problemática de los presos políticos y ha dado consecuente respaldo a los actos por su liberación organizados por familiares y compañeros de lucha. Espero que su liderazgo dentro de la Mesa de la Unidad logre influir para que la persecución, la represión y los encarcelamientos políticos pasen a ser una prioridad. No por mí o Daniel, sino por la lucha para salir de la dictadura. De una dictadura no se sale a medias, o se sale o no se sale, pero no hay medias tintas en la conquista de la democracia.

Ya son las cinco y media de la madrugada, del lunes 25 de mayo. Es la hora que más disfruto en Ramo Verde. A pesar de estar encerrado en mi celda, puedo escuchar el concierto de pájaros que se despiertan y se manifiestan con su canto al amanecer. Es un concierto hermoso, lleno de vida, lleno de libertad, lleno de la gracia de Dios. Es un momento en el que me siento libre, en el que le doy gracias a Dios por todo lo que me ha dado, por la maravillosa creación y por permitirme escuchar la manifestación, el canto de libertad de los pájaros que llenan mi corazón de esperanza.

Sé que saldré en libertad. No sé si será pronto, pero seré libre y estoy claro que hoy no soy el único preso. Somos millones de venezolanos presos de un régimen corrupto, ineficiente y antidemocrático. Estamos presos. Presos de la dictadura, pero somos libres. Por siempre libres, en nuestro corazón.

SOBRE LA HUELGA DE HAMBRE[5]

Desde hace un año y tres meses, más de setenta venezolanos hemos permanecido ilegalmente presos por haber denunciado al Gobierno de Nicolás Maduro como ineficiente, corrupto, represor y antidemocrático. En su momento no solo denunciamos los problemas, también propusimos una ruta de cambio, una salida en paz y en democracia por las vías establecidas en la Constitución.

La respuesta del régimen fue violencia y represión, que causó la muerte de muchos venezolanos en manos

5. En este apartado se transcriben las notas previas de Leopoldo para el mensaje grabado desde la cárcel (véase nota 6 de este capítulo).

de los cuerpos de seguridad del Estado y de grupos violentos vinculados al oficialismo. Las muertes del joven Bassil Da Costa, Juancho Montoya, Génesis Carmona, Geraldine Moreno, Jesús Acosta y muchos otros fueron cubiertas por el manto de la impunidad y la complicidad de la justicia venezolana. A estas muertes hay que recordar la del señor Rodolfo González, preso político que se quitó la vida en los calabozos del SEBIN como medida desesperada.[6]

6. Bassil Da Costa, un estudiante de veintitrés años de edad, fue la primera víctima mortal del 12 de febrero de 2014, durante las manifestaciones contra Maduro, durante un confuso tiroteo cerca de la Fiscalía atribuido a funcionarios del SEBIN y que fue grabado por otros manifestantes. Ese video fue una de las pruebas aportadas por el diario *Últimas Noticias* en su reportaje de investigación «Uniformados y civiles dispararon en la Candelaria el 12-F», realizado por las periodistas Tamoa Calzadilla y Laura Weffer, que documentaban con videos y fotografías cómo funcionarios policiales del Gobierno de Maduro asesinaron ese 12 de febrero a Da Costa y a Juan *Juancho* Montoya, policía y activo dirigente popular y comunitario, afín a Maduro y coordinador del Secretariado Revolucionario de Venezuela. Génesis Carmona, modelo, miss y estudiante, fue asesinada el 18 de febrero por paramilitares chavistas. Geraldine Moreno, véase cap. 7 nota 8. Jesús Acosta Matute, un estudiante de veintidós años de edad, fue asesinado el 12 de marzo de 2014 durante una manifestación en el municipio Valencia, estado Carabobo, por Carlos Ramos Herrera, funcionario del Cuerpo de Investigaciones Científicas, Penales y Criminalísticas (CICPC). Rodolfo González, de sesenta y cuatro años de edad y conocido como el Aviador, permanecía encarcelado desde abril de 2014 en el SEBIN, acusado de coordinar la logística de las protestas iniciadas en febrero de ese año; avisado de que sería trasladado a la prisión de Yare, una de las más peligrosas del país, se quitó la vida en marzo de 2015.

Luego de un año y tres meses de nuestro llamado a un cambio, la situación solo ha empeorado para todos los venezolanos. Colas, escasez, inflación, inseguridad hoy nos afectan a todos. Estamos al borde de un abismo y solo parece que la situación empeorará.

En lugar de asumir su responsabilidad, dialogar y construir soluciones a los graves problemas de nuestro pueblo, la respuesta de quienes gobiernan ha sido más represión, censura y escasez.

Hoy, la inmensa mayoría de los venezolanos queremos un cambio. Pero al igual que nosotros, el ciudadano común y la democracia están presos. Presos de una élite corrupta que solo busca aferrarse al poder a cualquier costo, un costo altísimo que estamos pagando todos los venezolanos. Es por estas razones por lo que el día de hoy, 23 de mayo de 2015, Daniel Ceballos y yo hemos decidido iniciar una huelga de hambre desde la cárcel de Ramo Verde.

Nuestras peticiones son muy concretas:

1) La liberación de los presos políticos.
2) El cese de la persecución y la censura.
3) Que se fije la fecha de las elecciones parlamentarias y se admita la observación electoral de la OEA y la Unión Europea.

De igual manera, queremos convocar a todos los venezolanos que quieran un cambio en paz y en democracia hacia una mejor Venezuela, sin importar ideología o afiliación partidista, a que demos una demostración masiva, pacífica, sin ningún tipo de violencia en las calles de Venezuela y el mundo como señal de nuestro compromiso con el cambio. Los invitamos a salir vestidos de blanco significando la paz y el amor por Venezuela.

En Caracas convocamos a la avenida Francisco de Miranda y que se replique en las calles de toda Venezuela.

Hermano, hermana, no pierdas la esperanza, no pierdas la fe en una mejor Venezuela. Nosotros estamos presos, pero llenos de esperanza por Venezuela. No dudemos, sí podemos conquistar una mejor Venezuela.

Que Dios nos guíe y nos acompañe.

Que Dios bendiga a Venezuela.

12

LOS TÚNELES OSCUROS
DE LA INJUSTICIA

Hoy, 29 de abril de 2015, cumplo cuarenta y cuatro años. Es el segundo cumpleaños que paso en la cárcel, apartado de mi familia, sin libertad.

Ayer uno de los custodios me comentó: «Que pase feliz cumpleaños, bueno, la verdad es que quizá no tiene sentido decir eso estando usted preso». Le di las gracias y me quedé pensando en esa idea de si podemos ser felices estando presos o pasar un feliz cumpleaños en la cárcel. Claro que quisiera estar con mi familia, con Lilian y mis hijos, pero también es cierto que uno domina, o al menos tenemos la decisión de hacerlo, si quiere estar feliz o triste. Yo he conocido otra dimensión de la felicidad, no de la felicidad de la fiesta, sino más bien la felicidad que da la serenidad, estar tranquilo y sereno con uno mismo. Estar feliz por estar cerca de una paz interior.

Hoy cumplo ocho días de aislamiento y, con este nuevo castigo, llevo siete meses aislado completamente. La mitad del tiempo que llevo en Ramo Verde he estado bajo aislamiento. Puedo decir que estoy sereno, tranquilo y que puedo pasar un feliz cumpleaños. Uno es dueño de su alma y capitán del propio destino. Depende de cada quien decidir cómo enfrenta la adversidad y las dificultades. Yo he decidido hacer de cada día una ocasión de crecimiento, de aprendizaje, de conquista de una felicidad interior que solo cada quien puede conquistar para sí mismo. Estando preso, he aprendido a poner las cosas en perspectiva. Estoy preso, aislado en una pequeña celda de 2 x 2 m, el espacio es reducido y la soledad podría ser abrumadora, pero tengo libros, tengo bolígrafos y papel, tengo la Biblia y, sobre todo, tengo la posibilidad de soñar despierto y de proyectar mi libertad más allá de las cuatro paredes que me encierran. Estoy preso pero soy libre, libre de pensar en lo que quiera, libre para visualizar la Venezuela que queremos construir, libre de imaginarme con mis hijos, mi esposa o simplemente libre de caminar las calles de Venezuela.

Ayer salté cuerda por una hora y luego me di un baño con tobito, porque no había agua como es común aquí y en toda Venezuela, y me imaginé estando en una piscina nadando como ha sido mi afición por años. Me llené de felicidad, imaginé y me pude proyectar desde un tobo de agua en mi celda a una piscina o cruzando a nado el río Orinoco. Sé que esto puede parecer una exageración, pero no lo es, es el poder de la mente de definir nuestro estado de ánimo. Yo me he propuesto construir mi libertad desde el encierro. Aprovechar pequeños detalles como un tobo de agua para poder proyectar un instante de plena libertad, para estar sereno y en paz sin melancolía ni tristeza. Yo sé que por lo que estoy pasando es una prueba, una prueba al temple, al carácter, al dominio de uno mismo. Es como un piso de carbones ardientes que hay que pasar caminando descalzo para pasar a un nivel superior en artes marciales. Es una prueba que forja la fortaleza para enfrentar situaciones difíciles con alegría y paz interior. Para mí, ese ha sido el más grande aprendizaje desde que estoy preso.

Un encuentro que no debo olvidar

Hace un año, en abril de 2014, tuve un encuentro particularmente revelador en Ramo Verde. Sobre este encuentro ya había escrito, pero las notas se perdieron en una de las tantas libretas que se han robado de mi celda los funcionarios de la DGCIM durante las requisas.

Llevaba dos meses preso, aislado, con muy poca información sobre lo que ocurría en las protestas. La información me llegaba a medias, a través de lo que me contaban los custodios o mi familia cuando me visitaban. No tenía televisión, ni tampoco me llegaba la prensa. La radio que podía escuchar era toda oficialista. Eran los primeros meses, sabía que había muchos movimientos en la calle, muchas protestas, represión, detenidos, heridos y fallecidos.

Una mañana, llegó a mi celda uno de los custodios de mayor jerarquía. Me dijo: «Venga conmigo, que tiene una reunión, son solo quince minutos». «¿Con quién es la reunión?», le pregunté. «Tranquilo, le va a interesar. Recuerde, solo quince minutos», me respondió.

El oficial me llevó al casino del penal, el lugar donde están los teléfonos públicos y una cantina a medio montar para los días de visitas. Es un salón amplio, de unos trescientos metros cuadrados, con mesas y bancos de plástico amarillo. El salón estaba vacío y había una persona; estaba de civil pero era militar. Al entrar, el custodio le dijo: «Bueno, aquí está. Recuerden, solo quince minutos». Era un hombre de unos cincuenta años, de alto rango y activo. Al verme, se presentó y me dijo:

—Quería hablar con usted porque tengo muchas cosas que contarle y que le interesan.

—¿Y por qué quiere decírmelas?

—Porque las cosas están mal, muy mal, y esto tiene que cambiar. Yo no creía en los políticos de oposición, pero usted se ganó mi respeto dando la cara, entregándose y enfrentando al monstruo por dentro. Por eso, quiero que sepa lo que le voy a decir. ¿Usted está al tanto de los fallecidos durante las manifestaciones?

—Sí, claro. No tengo toda la información, pero sí estoy enterado por lo que ha salido en prensa, es una situación grave, terriblemente lamentable.

—Así es, muy lamentable. Yo quiero que usted sepa que los militares que han fallecido, han sido asesinados por el propio Gobierno, es una estrategia de ellos para justificar la represión y encolerizar a los que están en la calle que llevan semanas enfrentando las protestas.

—¿Cómo es eso? ¿Cómo que han sido asesinados por el Gobierno? ¿Está usted seguro de eso?

—Sí, totalmente, yo sé de eso y muchas otras cosas que ocurren y con las que no estoy de acuerdo pero no puedo hacer nada, y por eso decidí hablarlo con usted. Si manda a investigar se podrá dar cuenta que los militares fallecidos han sido bajo un mismo patrón, mismo modus operandi, disparos certeros en cuello y cabeza, mismo calibre y lo que es más revelador es que no hay ni va a haber detenidos. Ya podrá verificarlo usted mismo, no serán investigados esos homicidios, no habrá imputados ni detenidos, pero la culpa se la van a echar a la oposición y a los manifestantes. Es una estrategia bien pensada y bien ejecutada, no crea que están improvisando.

—¿Y me puede dar más información, quién está detrás de eso, cómo podemos llegarle a los responsables?

—No le puedo dar más detalle, solo le digo que las órdenes vienen de lo más alto, y es un plan.

»Somos muchos —me dijo luego— los militares que estamos descontentos, pero es poco lo que podemos hacer. Yo estoy tomando el riesgo de hablar con usted porque creo que debe saber a quién se está enfrentando. Aproveché que tenía un compañero aquí, y con la excusa de visitarlo, vine a hablar con usted. Son muchas cosas que están pasando, vínculos con el narcotráfico, corrupción, politización de la Fuerza Armada. Ya uno no sabe si trabajamos para defender la Constitución y la soberanía o a carteles de corruptos y narcotraficantes. Es muy grave lo que está ocurriendo, y la importancia es mayor porque no pasa nada, no hay justicia. A los más corruptos los ascienden, y a quienes hacemos el trabajo que corresponde nos montan un seguimiento e incluso algunos, por hacer su trabajo, terminan presos. Presos por pisar callos, por meterse con quienes controlan las mafias.

En eso entró el oficial que me había bajado: «Bueno, listo, ya hablaron».

Sí, ya hablamos. Al despedirse, mi visitante me dijo:

—Y cuídese mucho, que esta gente es mala y no dudaría en hacerle daño, cuide lo que coma, no permita que lo trasladen sin autorización del juez, cuídese.

—Hasta luego, hermano —le dije—, y cuídese usted también...

Y mientras salía, añadí:

—Mire, y aguante usted también, no renuncie, no pida la baja, que necesitamos gente buena y comprometida con la democracia dentro de la Fuerza Armada Nacional.

Al despedirme, me subieron a mi celda y me quedé pensando en lo que acababa de escuchar.

Semanas después de aquel encuentro, una mañana a eso de las diez entró el director del penal, el coronel Humberto Calles, a mi celda. Estaba acompañado de otros tres oficiales, y allí estaba el hombre que me había llevado a aquel encuentro.

Al entrar, Calles me dijo:

—Mataron a otro de los nuestros.

—¿Cómo es eso? —le pregunté.

—Que mataron a otro guardia, a un capitán.

—Lo siento mucho —le dije—, es muy lamentable que la represión y la violencia estén causando muertes y heridos.

—Sí, pero este era uno de los nuestros —me insistió.

—Bueno, coronel, todos son nuestros, todos los que han fallecido, militares o civiles, opositores u oficialistas, todos son venezolanos y son nuestros, ¿o no es así?

—Bueno, esto nos duele más, era un uniformado.

Entonces recordé lo que me había dicho el comandante en aquella conversación de quince minutos. Al escuchar a Calles y su testimonio de «ellos y nosotros», «los nuestros y los de ellos», entendí claramente lo profundo que ha calado la estrategia macabra del Gobierno.

Hoy, a un año de aquella conversación, las cosas parecen ser tal cual como las había advertido el oficial. Sobre todas las muertes durante las manifestaciones crece una espesa nube de duda, ya que no hay investigaciones, ni imputados ni responsables.

Ante una situación tan delicada como la que vivimos

los venezolanos, entre manifestaciones y represión oficial, hubiese sido necesaria la convocatoria a una comisión de la verdad que de manera imparcial investigara todos los hechos. Lejos de tener una comisión de la verdad o instituciones creíbles, confiables y eficientes, hemos sido testigos de una complicidad institucional en tanto que fiscales y jueces reciben órdenes de sus superiores, han sido la extensión del brazo represor de la calle y son responsables de la impunidad con la que se han manejado los hechos de violencia.

DE RAMO VERDE A LA OSCURIDAD DE LA INJUSTICIA

Son las cinco de la mañana y en unas horas estaré nuevamente en el Palacio de (in)Justicia enfrentando el proceso ilícito al que he sido sometido. Ya cumplo nueve meses de juicio.

Los traslados de Ramo Verde a Caracas son una movilización de más de treinta funcionarios de varios cuerpos de seguridad, la DGCIM, el SEBIN y los custodios del Cenapromil. Estos traslados son la única oportunidad que he tenido de ir más allá de la cárcel. Hoy, 6 de mayo de 2015, llevo más de treinta traslados desde que estoy aquí. Es una movilización importante, quizá porque piensan que tengo la intención de fugarme o porque tienen la impresión de que estamos en riesgo, o por temor a manifestaciones de apoyo. La movilización, según han comentado los propios funcionarios, es más grande que cualquier otra, con cualquier otro preso, que ellos recuerden.

Voy en un Toyota del Cenapromil con cinco funcionarios: conductor, jefe de la movilización y tres sargentos. Viajo en el medio del asiento de pasajeros, con chaleco antibalas y esposas. Encabeza la caravana una camioneta de la DGCIM y cinco motorizados del SEBIN, luego vienen dos vehículos comando del SEBIN y, atrás, otra camioneta de la DGCIM. En total, cinco vehículos y cinco motos. El recorrido me lo sé de memoria, incluso he llegado a contar las curvas de la Panamericana: 483. En ocasiones, la caravana ha sido agresiva con los otros carros en la vía; cuando se detiene por tráfico, se bajan los funcionarios fusil en mano, pistola al aire y con capucha, quitan del camino de manera agresiva a motorizados, carros y transeúntes. Como mi vehículo tiene vidrios ahumados, nadie sabe que yo voy en la caravana, pero sí puedo ver las caras de curiosidad y de temor de los conductores y peatones.

El recorrido es el mismo siempre: Ramo Verde, Mercado Municipal, pasamos por el metro de Los Teques, por el hospital Victorino Santaella, distribuidor El Tambor, Panamericana, Fuerte Tiuna, autopista, túneles del Valle, cementerio, después del segundo túnel tomamos un atajo hasta la avenida Páez del Paraíso, autopista, puente... entrada al Centro Simón Bolívar (CSB), y de allí al sótano del Palacio de Justicia por el estacionamiento. A este último es adonde llegan todos los traslados de las cárceles y, dependiendo del día, hay más o menos autobuses y patrullas de otras cárceles. Una vez en el sótano, me trasladan a los calabozos, que son un reflejo de la decadencia del sistema judicial y penitenciario.

Los sótanos del Palacio de Justicia son unos calabozos con unas cuarenta celdas de ochenta metros cuadrados cada una, oscuras, sucias, con letrinas en el fondo. A nosotros nos llevan a una celda en el final del largo pasillo y me encierran allí hasta que comienza el juicio y me trasladan a la sala de audiencia. La espera es usualmente larga, entre cinco y doce horas hasta que nos suben. Durante esa espera he tenido largas conversaciones con los funcionarios responsables de mi custodia, los comandos del SEBIN, los de la DGCIM y los alguaciles del Palacio de Justicia. Hemos conversado sobre muchos temas, deporte, coleo, la situación del país, la inseguridad y, de vez en cuando, sobre política, siempre con cautela cuando llegamos a este tema.

De todos recojo una frustración sobre la situación del país y en particular sobre la inseguridad. Recojo un alto nivel de frustración por parte de los funcionarios con el nivel de complicidad del alto Gobierno con la inseguridad. Todos tienen historias de familiares o compañeros de trabajo que han sido víctimas del hampa. Siempre queda en el ambiente la idea de que se podría estar haciendo mucho más para enfrentar a los delincuentes, pero por el nivel de complicidad política del Gobierno con la delincuencia es poco lo que se hace.

En particular me ha llamado la atención el nivel de entrenamiento y compromiso de los comandos del SEBIN, que podrían ser mucho más activos en enfrentar grupos armados, pero no tienen el apoyo institucional y político para hacerlo y quedan relegados a misiones pasivas como el resguardo de quienes sufren arresto domiciliario o de los traslados.

Durante estas estadías en los calabozos he podido compartir brevemente con los presos que vienen de los otros penales, de Uribana, Tocorón, El Rodeo, Tocuyito, el INOF. Cuando voy del sótano a la sala de audiencia, paso por las otras celdas y siempre hay expresiones de solidaridad acompañadas de un profundo rechazo a Maduro y su élite corrupta. Gritan desde las celdas «Fuerza, Leopoldo», «Esto se va a acabar», «Dale duro a Maduro», «Los delincuentes no somos nosotros, son los que gobiernan»...

Hace unas semanas tuve una conversación que me impactó. Pasaron frente al calabozo dos mujeres vestidas con el uniforme rosado del INOF, esposadas una de otra. Me saludaron y les pregunté por qué estaban presas. Una de las mujeres, una señora mayor de unos sesenta y cinco a setenta años de edad, me respondió: «Toda la familia está presa, ella es mi hija y mi esposo también está preso, está en Tocuyito, somos de Tovar, Mérida, y nos metieron presos por la guerra económica; tenemos un concesionario de carros usados, no quisimos entregarle un carro a un militar como vacuna y nos la juró hasta que cerraron el concesionario y nos metieron presos a todos; llevamos un año presos y no sabemos nada sobre nuestro caso».

Me impactó mucho ese testimonio, toda una familia presa por un procedimiento que ya he escuchado varias veces: funcionarios militares pidiendo vacuna y amenazando con represalias. No conozco ese caso en particular ni si efectivamente hay o no razón para que estén presos, lo que sí sé es que es repetido el testimonio de que por la supuesta guerra económica meten presos a comerciantes, pequeños comerciantes y gente sencilla, pero a ningún pez gordo. Imagino que son cientos de casos como el de esa señora y su familia.

Ese día, luego de que todos escuchamos el testimonio de esa señora ya mayor, conversamos sobre la guerra económica y las acciones del Gobierno. Les pregunté: «¿Ustedes creen que metiendo presos a comerciantes va a mejorar el abastecimiento, o va a alcanzarles a ustedes más su sueldo?». Esa misma semana, Maduro había dicho en una de sus repetitivas y desacertadas intervenciones que le declaraba la guerra a la oligarquía, y que si tenía que construir más cárceles para meterlos a todos presos, lo haría. Yo les comentaba a los custodios: «¿Creen que metiendo gente en la cárcel va a hacer que terminen las colas, que se consiga carne, café o repuestos?». La respuesta fue que no, que esa no era la manera, pero qué podían hacer ellos. Yo les dije: «Al menos tengan claro, tengan conciencia sobre el pésimo manejo de la economía por parte de Maduro: buscar y encarcelar culpables, sin construir soluciones».

Durante esos días también había salido en grandes titulares de la prensa oficial el anuncio de un operativo contra el bachaqueo en el terminal de La Bandera, la principal estación de autobuses de Caracas. En ocasión de este anuncio, publicado el 1 de abril de 2015, les comenté como ejemplo: «Fíjense en esta noticia: "Operativo contra bachaqueo en el terminal". ¿Acaso los usuarios del terminal son la oligarquía? ¿Creen ustedes que una señora con una caja de alimentos, harina, café, azúcar, aceite que lleva de Caracas a su familia en el interior, donde no se consigue nada, es el problema?». Uno de los custodios me respondió: «Es verdad, ese no es el problema. A mi tía la devolvieron en el terminal porque llevaba veinte kilos de harina precocida de maíz a su familia en Trujillo. Y cómo no va a hacer si en Trujillo no hay nada».

Es una gran contradicción que en el país más violento del continente, con tasas de homicidio, robo y secuestros por las nubes, las cárceles se estén llenando de comerciantes y pequeños empresarios expropiados y perseguidos mientras que aumentan las colas, la inflación y la escasez. La «lógica» de Maduro es como el cuento del marido que encuentra a su esposa infiel con su amante en el sofá... y saca el sofá en lugar de atender a la mujer. Maduro, en lugar de trabajar con el sector productivo, comerciantes, productores y empresarios, los amenaza y mete presos como si eso fuese a resolver el problema de fondo de la economía.

En esos calabozos he visto y ha pasado de todo. Durante dos meses, tenían hacinados a unos cien presos en tres celdas. Estaban en condiciones infrahumanas, amontonados uno encima de otro, con una letrina que nunca limpiaban, sin luz, recibiendo alimento descompuesto. Un día, presencié un conato de motín cuando fueron a llevar comida y los presos se la lanzaron a los custodios gritando: «Esto está podrido, sáquennos de aquí». Recuerdo también con particular indignación un día que entramos a la zona de los calabozos y nos llegó un intenso olor a excremento y orina. Los sargentos de la Guardia Nacional que estaban allí tenían tapabocas y nos abrieron paso hacia la celda al fondo de un largo pasillo de calabozos. El sótano siempre está sucio y maloliente, es un depósito de presos a los que no se les da ningún trato digno y son tratados como animales encadenados, pero ese día los olores y las condiciones estaban peor que nunca. Había un solo charco de excremento y aguas negras imposibles de evadir. Los excrementos flotaban y salía mucho más de las letrinas. Ese sótano es un lugar sórdido, lleno de sillas y viejos escritorios en el pasillo, oscuro, con cables guindando por los techos y uno que otro bombillo encendido. Durante mis intervenciones en juicio, denuncié varias veces esta situación, invité a la jueza a que bajara y viese ella misma la situación de violación a derechos humanos, allí mismo, en el sótano del Palacio de (in) Justicia. Como ya dije, fiel reflejo de la decadencia de la justa en nuestro país. En Venezuela no hay justicia para nadie, todos somos víctimas de una u otra manera de un sistema profundamente corrompido e insensible con la vida y la dignidad de las personas.

Las paredes de los calabozos están llenas de mensajes, invocaciones al Señor, a Jesús, nombres, lugares, alias, fechas. Las paredes son un registro de lo que ha pasado por esos calabozos, frases de esperanza, otras de desesperación. Otras simplemente son un registro de haber estado allí. En la pared del calabozo donde espero largas horas escribí:

PRESOS EN DICTADURA, SEREMOS LIBRES
LEOPOLDO LÓPEZ

Daniel Ceballos, a quien trasladan con la misma rutina, también firmó.

Semanas después pude leer lo que alguien colocó como nota a la frase:

FUERZA, DIOS NO ABANDONA
ESTAMOS CON USTEDES
SEREMOS LIBRES

13

EL JUICIO:
«YO NO ESTOY SOMETIDO A JUICIO, ESTOY SECUESTRADO»

Creo que el pueblo venezolano tiene ya muy claro que quienes fuimos encarcelados a raíz de los hechos ocurridos en la manifestación del 12 de febrero de 2014 estamos siendo sometidos a una pantomima de justicia. Los juicios en contra nuestra son iguales a todos los juicios que, a lo largo de la historia y en todas partes del mundo, las dictaduras han puesto en escena para castigar a quienes se atreven a desafiarlas, quienes luchan por la democracia y la libertad para el pueblo. Nada de distinto tienen de los juicios que Stalin, Hitler, Mao o Fidel Castro han montado contra los opositores a sus tiranías.

¿Por qué someterse entonces al juicio montado por Nicolás Maduro y su régimen autoritario, si es obvio que ellos no creen en la justicia? La razón es clara:

porque nosotros sí creemos en ella, porque hemos sido formados y hemos crecido bajo el imperio de las leyes, sometidos a su cumplimiento, y estamos convencidos de que, más temprano que tarde, esas mismas leyes, ahora manipuladas por nuestros carceleros, serán el cauce por el que de nuevo la justicia retorne a nuestro país. Estamos también convencidos de que sometiéndonos a este juicio, las grotescas distorsiones del sistema judicial de esta dictadura aflorarán y serán conocidas por el pueblo venezolano y por la opinión pública mundial. ¿De qué otra manera sería posible hacer evidente que los funcionarios judiciales a cargo de condenarnos fueron los primeros secuestrados por este régimen? Este juicio y las decisiones que en él se tomen servirán ahora a la dictadura, pero servirá luego a la justicia y hará más fácil la tarea de introducir, en el futuro democrático que inexorablemente vendrá, los correctivos para que el poder judicial pueda deslastrarse de las lacras que hoy lo manejan y usan a su antojo.

HECHOS Y ARGUMENTOS DE NUESTRA DEFENSA

La violencia desatada el 12-F no fue convocada por nosotros, sino que fue el resultado de la represión de los cuerpos de seguridad y los colectivos armados.

Este juicio no es un juicio solo de lo ocurrido el 12-F, es en el fondo un juicio que busca enterrar la verdad de lo ocurrido durante los meses de febrero a mayo de 2014. Meses de protestas que tuvieron un saldo de 43 muertos, 3.700 detenidos, más de 200 torturados y presos, e incontables exiliados.

El 12-F fue una celada orquestada por el régimen de Maduro. Los asesinos respondían a las órdenes del régimen; la inacción de los cuerpos de seguridad y la represión judicial son elementos probatorios de esta celada.

Maduro anunció el 11-F que habría un muerto el 12-F. No es casualidad entonces que haya sido el SEBIN y los colectivos los que dispararon. No es casualidad el retiro de la GNB y la PNB para permitir el avance de los pistoleros asesinos, unos uniformados y otros protegidos, pero ambos dirigidos desde el alto Gobierno.

¿Quién dio la orden al SEBIN?

¿Quién dirigió las órdenes a los colectivos?

¿Quién ordenó el retiro de la GNB y la PNB?

¿Quién ordenó y ordena la represión judicial?

La Fiscalía pretende separar hechos inseparables. Insistimos en que las piedras contra la fachada de la Fiscalía fueron consecuencia de las balas asesinas y no de mis palabras, que como consta en el expediente, siempre llamaron a la protesta no violenta.

Estoy convencido de que lo ocurrido fue una celada orquestada desde el Gobierno. Vamos a presentar formalmente una acusación penal en contra del director del SEBIN, del ministro del Interior, Rodríguez

Torres,[1] y del presidente Maduro. Fueron ellos y no otros los determinadores del crimen, de los homicidios.

Esta acción tendrá consecuencias políticas, pero, luego de haber leído el expediente de Bassil Da Costa y Juancho Montoya, no podría estar tranquilo con mi conciencia si no doy este paso al frente y denuncio formalmente a quienes fueron los verdaderos responsables de las muertes ocurridas el 12-F y los meses que siguieron.

Este juicio no está aislado de lo que ocurrió durante las protestas. Por meses se repitió el mismo libreto con los mismos responsables.

Reitero mis palabras por las que hoy estoy preso.

Este es un juicio injusto y violatorio de la Constitución, las leyes de la República y las normas internacionales de derechos humanos porque:

1) No admiten pruebas ni testigos.
2) No es público y abierto.
3) No se permite el careo.

Los hechos ocurridos el 12-F son inseparables y no como pretende la Fiscalía.

El origen de la violencia según establecen los hechos fue el asesinato de Bassil Da Costa y Montoya.

1.   El mayor general Miguel Eduardo Rodríguez Torres dirigió el ministerio del poder popular para relaciones interiores, justicia y paz del 14 de octubre de 2013 hasta octubre de 2014.

Insistimos en que lo ocurrido fue una celada orquestada desde el alto Gobierno.

No hay que olvidar que las vidas de cuatro estudiantes se han visto radicalmente afectadas, y sus familiares también han padecido estos cambios violentos; todos víctimas de un juicio atroz, de una farsa. Marco Coello, Christian Holdack, Ángel González y Damián Martín, todos encarcelados y torturados.

Marco, de tan solo diecisiete años de edad, fue a su primera marcha del Día de la Juventud y no regresó a casa porque fue detenido, encarcelado y torturado. En una desesperada y noble acción de su padre, ambos pudieron salir del país y pedir para Marco protección en Estados Unidos. El arrojo de ambos, padre e hijo, de atravesar los «controles» de la «inteligencia bolivariana» fue de un coraje excepcional.

Christian, estudiante de diseño, ha pasado un año preso por tomar fotos de los acontecimientos.

A Ángel, un joven humilde de Naiguatá que con tan solo dieciocho años de edad fue detenido y torturado por haber querido manifestar su descontento por la crisis de todo orden que atraviesa Venezuela y que le niega el futuro, le ha tocado crecer y madurar en estos términos.

Damián, detenido mientras defendía a una compañera que estaba siendo agredida por un funcionario en medio de la manifestación, también fue víctima del maltrato cuando estaba detenido en la sede del CICPC en Parque Carabobo.

Varios de ellos han visto suspendidos sus estudios. Todos jóvenes cuyo futuro ha sido secuestrado por este Gobierno. Las circunstancias, estoy seguro, los han transformado en luchadores, y ellos han tomado conciencia de que la libertad es irrenunciable. No me cansaré de exigir su libertad plena.

«ESTE ES UN JUICIO POLÍTICO»

> Aunque de todas las falsedades que me han urdido hay una que me deja lleno de asombro, la que dicen que tienen de precaverse de mí y no dejarse embaucar porque soy una persona muy hábil en el arte de hablar.
>
> Platón, *Apología de Sócrates*

El nuestro es un juicio que de público no tiene nada. Por el contrario, el Gobierno de Nicolás Maduro se ha empeñado en ocultárselo al pueblo venezolano, pero, gracias a las redes sociales y al diario *El Nacional*, se logró grabar y publicar el video de mi intervención en una de las audiencias.[2] Allí pude al fin exponer mis alegatos y hacerlos conocidos. Esa intervención se llevó a cabo en la audiencia del 22 de enero de 2015 y reproduzco aquí las notas que escribí para fundamentarla:

2. Véase, por ejemplo, <http://dai.ly/x2hh9d7>.

Este es un juicio político cuyo formato se repite para todos quienes nos atrevimos a denunciar la corrupción e incompetencia de este Gobierno y reclamar la democracia y la libertad para Venezuela. Como en todos los demás, y vistas todas las manipulaciones que se han hecho de los actos procesales, este también es un juicio donde ya hay tomada la decisión de una condena.

Mis compañeros y yo estamos sometidos a un juicio donde, luego de un año de encierro en Ramo Verde, no se nos ha aceptado ni una sola prueba, ni un solo testigo de los promovidos por nuestros abogados. Promovimos más de cien testigos, promovimos treinta y un videos, elementos probatorios de todo tipo; y no nos permitieron ni una sola prueba, ni un solo elemento para que nosotros podamos ejercer el debido derecho a la defensa, violando de manera flagrante las leyes penales, la Constitución y las normas internacionales.

Y no nos cansaremos de decir esto, doctora Barreiros, no nos cansaremos de decirlo, porque están violando nuestros derechos. No es cuestión de pasar la página y que usted se ampare en la decisión de la Corte de Apelaciones, que permite que no se acepte ni una sola prueba, ni un solo testigo, y no hable más del tema. No. Eso está mal, eso no borra el hecho de que nuestros derechos han sido violados.

Quisiera solicitarle, muy respetuosamente, su pronunciamiento sobre dos temas en particular. El primero de ellos es sobre la intromisión política del Gobierno en este juicio. No pasa una semana sin que Nicolás Maduro me condene en la televisión, en cadena nacional. No pasa una semana sin que las más altas esferas del poder político se pronuncien sobre nuestra supuesta culpabilidad. Lo que necesitamos saber es: ¿Quiénes son los jueces, son ellos o es usted? ¿Dónde está el juicio, en las cámaras de televisión, a las que acude Maduro, Cabello y quienes lo acompañan? ¿Dónde está el juicio? Yo quisiera saber quién me está juzgando, yo quiero saber quién me tiene preso. Si me tiene preso usted, como lo dice la ley, como lo dice la norma, o me tiene preso Maduro.

Creo algo que es obvio ya para todos los venezolanos: que soy un preso de Maduro, soy un preso de su régimen, soy un preso del sistema, soy un preso del modelo, del proceso, como lo queramos llamar. Solicito a usted por tanto que haga un pronunciamiento con respecto a este tema, y un pronunciamiento que venga acompañado de una solicitud de respeto, si es que hay algo que se tenga que respetar en este Tribunal.

Al no tener una opinión de su parte sobre este tema, emitida categóricamente, como la autoriza la ley, contra las intromisiones que tiene el Ejecutivo y que tienen otros poderes públicos sobre lo que significa este juicio, estará usted aceptando que este es un juicio tutelado por otros. Estará usted aceptando que este es un juicio en donde no se decide nada, aquí estamos para tener la fachada de la justicia, para tener la fachada de un proceso en donde ya la decisión está tomada de antemano y por otros.

La segunda solicitud que le hago, vinculada a esta, es que usted se pronuncie a la propuesta de un canje que hizo Nicolás Maduro en televisión, según la cual a mí solo me liberarían si las autoridades de Estados Unidos liberan a un ciudadano de Puerto Rico preso en ese país.[3] Al mejor estilo de un guerrillero, el presidente Maduro asume claramente que soy un secuestrado, como si él en vez de ser jefe del Estado, fuese jefe de un grupo guerrillero o de delincuentes. Yo no estoy sometido a juicio, estoy secuestrado. Tengo muy claro que estoy secuestrado, pero el hecho de que el presidente de la República haya planteado un canje, al estilo guerrilla de las FARC, pone en evidencia que yo soy un secuestrado político; y que allí hay una actitud clara de manejar este proceso como se manejaría un secuestro de la guerrilla o un secuestro de cualquier grupo delictivo. Yo le solicito a usted, la jueza de este proceso, que se pronuncie con respecto a este tema, porque aquí se planteó nada más y nada menos que me montaran en un avión y me llevaran a otro país.

Esas fueron las notas que llevé preparadas para mi intervención de ese día. Una condena a la justicia de Maduro y dos solicitudes hechas a la jueza Barreiro. En el curso de la audiencia, y al calor de los hechos, en algún momento se me ordenó que bajara el tono que daba a mis palabras. Mi reacción fue la que vieron en las redes sociales:

No me exijan que use en mi defensa un tono y un estilo diferente al que uso en el habla; no me lo exijan

3.   El independentista puertorriqueño Óscar López Rivera, encarcelado en Estados Unidos. Maduro lo anunció el domingo 4 de enero de 2015, pero el Gobierno estadounidense rechazó el canje por considerar que López Rivera es un terrorista y no un preso político.

a mí tampoco. Yo se lo dije hace un par de semanas: no me pidan que hable de una manera distinta, no me pidan que baje el tono. No me pidan que hable de una manera distinta a la que estoy acostumbrado a hablar en la calle y por la que se me condena, porque sería yo un inconsecuente con la lucha, con la razón de ser que me ha traído a estar preso el día de hoy, si yo viniera acá arrodillado, con un tono bajo pidiendo clemencia. NO, aquí no venimos a pedir clemencia, aquí no venimos a pedir sino algo por lo que estamos dispuestos a morir que es la justicia; que es de lo que carece hoy el pueblo venezolano. Y es por eso que no vamos a cambiar el tono, y es por eso que hago esta introducción, para que estemos claros de lo que se me acusa. Se me acusa por lo mismo que estoy haciendo en estos momentos, se me acusa por esta entonación y veremos a esta experta[4] hablando de entonaciones, la veremos hablando de repetición de palabras, la veremos hablando del impacto que yo puedo llegar a tener sobre los que escuchan mis palabras.

La veremos hablando de cómo existe una arquitectura metodológica, de que las personas pueden influenciar a otras personas con la palabra. ¿Qué nos dice el Génesis? «Hágase la luz», pero primero vino la palabra, porque si Dios no tuviera la palabra no se habría hecho la luz, ni la oscuridad, ni la tierra, ni los animales, ni el ser humano; lo primero es la palabra.

4.   Rosa Amelia Azuaje, la especialista en análisis semiótico presentada por el Ministerio Público y principal perito del juicio. En noviembre de 2015, poco después de la condena de Leopoldo, denunció que era perseguida y se desmarcó de la sentencia.

Somos seres humanos porque podemos hablar y aquí, en este Tribunal, se está condenando lo que nos hace distintos del resto de los animales de este planeta que es la razón, que es la posibilidad de disentir, que es la posibilidad de decir «estoy en desacuerdo». En este Tribunal, con esta testigo, se está poniendo sobre el tapete nada más y nada menos que en una democracia, o en una supuesta fachada de democracia, no se puede plantear la sustitución de quienes están gobernando. ¿Qué es la democracia entonces si no es la posibilidad de que exista alternabilidad de poder? ¿Qué es la democracia entonces si no es precisamente que el pueblo, a través de la voluntad popular, exija en momentos de crisis un cambio, que se sustituya a quienes tienen la conducción del Estado venezolano? Esa es la esencia de la democracia. Eso es en esencia lo que diferencia a una democracia de una dictadura, de una teocracia, que sea la gente la que decida. Y existen en esta Constitución todos los mecanismos para que la gente decida, para que se pueda dar esa alternabilidad. Pero vamos a escuchar hoy a una testigo decir que eso no está en la Constitución. Que dice que nosotros estamos haciendo un llamado a la violencia, omitiendo nuestros discursos, haciendo falsos testimonios, haciendo análisis de una parte de las palabras y omitiendo otra parte de las palabras que dijimos. Diciendo falsedades como que yo no llamé a la no violencia. Diciendo falsedades como que nosotros no estábamos planteando un cambio dentro de la Constitución. Falso, falso de toda falsedad.

Nosotros hemos planteado, desde el primer momento que hemos hecho una propuesta política, social a los venezolanos de salir de este desastre, hemos planteado que debe ser en el marco de la Constitución, pero acompañado por el pueblo, porque es que la Constitución no se activa sola, esto no es un *switch* que se pasa. La Constitución y los mecanismos que están previstos para sustituir al Gobierno corrupto, ineficiente, antidemocrático, represor, vinculado al narcotráfico que hoy tenemos en Venezuela lo podemos activar solamente si el pueblo lo activa, y por eso nosotros hicimos un llamado a la calle de forma pacífica.

Y si hace un año —el día de mañana se cumple un año de cuando hicimos el llamado— había razones para convocar una protesta, esas razones se han multiplicado. Si hace un año hablábamos de colas, hoy las colas se han multiplicado, la escasez, la inseguridad, la dificultad, la credibilidad de este Gobierno que está por el suelo. Pero pretenden a nosotros condenarnos por la palabra, pretenden a nosotros, en este Tribunal, decir que no podemos exigir que en Venezuela se dé un cambio.

Y quiero tener la oportunidad de salir a la calle para volverlo a decir, porque si usted me pregunta ¿para qué quiero yo la libertad?, responderé que para seguir diciendo lo que hoy me metió preso, para seguir hablándoles a los venezolanos con la misma claridad, la misma contundencia, la misma irreverencia que hoy me trajo a cumplir un año de prisión.

Si algo revela la naturaleza de este juicio es lo ocurrido con la testigo principal, por no decir única, promovida por el Ministerio Público, la ciudadana Rosa Amelia

Azuaje, experta en lingüística. La idea de la Fiscalía era que esta perito sustentaría su tesis de que mis discursos de 23-E[5] y del 12-F contenían elementos de naturaleza subliminal que fueron detonantes de la violencia. He aquí, textualmente, lo afirmado de manera expresa en la audiencia correspondiente por la testigo experta en lingüística:

En su discurso del 23-E, López hace una presentación del marco conceptual de la propuesta política de La Salida. Se exponen caminos constitucionales.

Nunca hubo llamado a la violencia en los discursos de López.

Sería sumamente irresponsable si yo digo que López hace un llamado a la violencia.

No puedo afirmar que el discurso de López influyó determinantemente en las acciones de jóvenes detenidos.

En ningún momento he dicho que López es responsable de las muertes del 12-F.

5. En ese discurso del 23 de enero de 2014, con motivo de la celebración de la caída de la dictadura en 1958, Leopoldo, siempre desde la paz o bien refiriéndose a aquel momento histórico, afirmó: «Es momento de tomar las calles», «Desde las calles, tenemos que salir a conquistar la democracia», «Sí se puede tener una mejor Venezuela», «¡Basta ya!».

Los mensajes de López no son subliminales, son mensajes claros, diáfanos y expresos.

Estas afirmaciones de la testigo principal presentada por la propia Fiscalía, y sobre cuya experiencia profesional había fundado su acusación, habrían sido suficientes para que un juez que actuase con independencia pusiera fin al juicio por no haberse cometido el delito del que se me acusa. No hay caso para la parte acusadora. Pero estamos en Venezuela, bajo la dictadura de Nicolás Maduro y con un poder judicial secuestrado. Por tanto, el juicio que se me hace tiene el propósito de lavarle la cara al régimen de Maduro, de ocultar los asesinatos de decenas de venezolanos entre febrero y mayo de 2014, y continuará hasta llegar a una sentencia condenatoria que fue escrita antes de que siquiera hubiese comenzado.

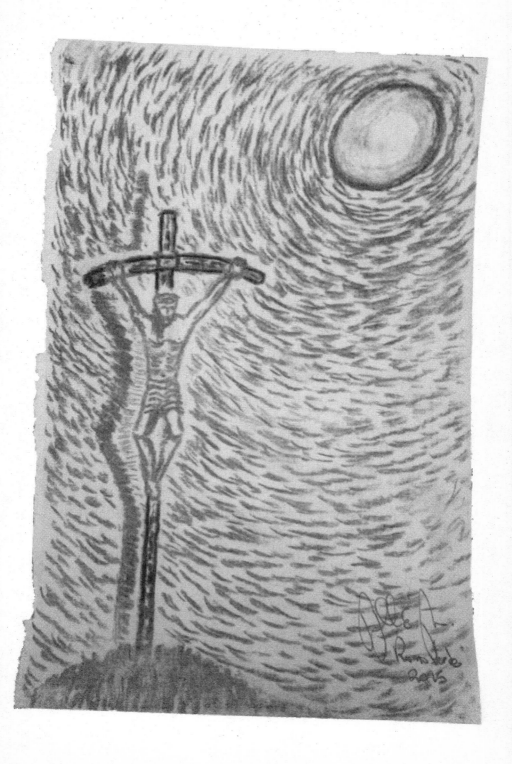

Para cuando lean estas notas de mi cuaderno, ya se habrán realizado otras audiencias y nada habrá cambiado. La sentencia donde se me condena seguro reposa ya en las gavetas del escritorio de alguno de los jerarcas de este régimen vergonzante para los venezolanos, lista para ser enviada al funcionario judicial de turno. No tengo expectativa alguna de que un juicio montado sobre una mentira y conducido de la forma abusiva en que ha sido dirigido por mis jueces y fiscales pueda llevar a una sentencia absolutoria, como en justicia me corresponde. Estaremos preparados para ese momento.

Nada ni nadie nos apartará de nuestras luchas por liberar al pueblo venezolano de la dictadura de Nicolás Maduro.

LEOPOLDO LÓPEZ

EPÍLOGO

de Daniel Ceballos

Trece años, nueve meses, siete días y doce horas de prisión fue la sentencia con la cual el régimen de Nicolás Maduro condenó el 10 de septiembre de 2015 a Leopoldo López. La sentencia evidencia, una vez más, la debilidad y ausencia del Estado de derecho, la violación de derechos humanos y la persecución política que impera en Venezuela.

La juez Susana Barreiros leyó la infame sentencia en un juicio violatorio de la Constitución, las leyes de la República y las normas internacionales de derechos humanos que no admitió pruebas ni testigos, no fue público ni admitió presencia de periodistas u observadores, ni que la defensa promoviera testigo alguno.

Según la sentencia, Leopoldo López hizo «llamados a la calle» los cuales produjeron hechos violentos, como un ataque contra la sede de la Fiscalía, el incendio de seis patrullas policiales y daños en el Parque Carabobo. Los delitos imputados fueron determinador de incendio y daños, instigación pública y asociación para delinquir. Fue un procedimiento judicial con fines claramente políticos orquestado por el régimen, en el que se violaron los principios de publicidad, presunción de inocencia y el derecho a ser juzgado por jueces independientes e imparciales.

El dirigente fue condenado por sus mensajes y el veredicto no pudo ser más directo: López «utilizó el arte de la palabra para hacer creer en sus seguidores que existía una supuesta salida constitucional [...]. Su propósito, a pesar de sus llamados a la paz y a la tranquilidad, como líder político, era conseguir la salida del actual Gobierno». De acuerdo a la jueza, mensajes como «tenemos que salir a conquistar la democracia», y sus críticas contra el Gobierno del presidente Nicolás Maduro, al que calificó de corrupto, opresor, ineficiente, antidemocrático y narco, evidenciaban sus «malas intenciones».

Esta condena, que recae sobre toda una sociedad que lucha por la libertad y la reconstrucción de un país actualmente en ruinas, es una sentencia que condena no solo a Leopoldo López, sino al propio régimen que la dictó y ejecutó dejando en evidencia su carácter antidemocrático. Es el resultado de un juicio político, diseñado para criminalizar el derecho a la protesta, la actividad política y la libertad de expresión donde a Leopoldo López se le violaron sus derechos al no permitírsele presentar pruebas para defenderse. Así lo afirmó el fiscal Franklin Nieves, quien manejó el caso y luego escapó al exilio, desde donde declara que «el caso fue inventado». «El cien por cien de las pruebas han sido falsas. Ellos manejan todo. Tan es así que quien hace el acta policial de aprehensión de López es Diosdado Cabello. El que gira las instrucciones es el mismo Cabello. Él se convirtió en aprehensor.» Esta grave declaración confirma la nulidad del juicio, plagado de abusos y vicios procesales.

La detención arbitraria de Leopoldo López y las violaciones de derechos humanos cometidos en su contra a partir del 18 de febrero de 2014 generaron preocupación y rechazo internacional que se tradujo en un conjunto de pronunciamientos provenientes de los más amplios sectores de la comunidad internacional. Pronunciamientos estos que se han tornado más contundentes una vez conocida la sentencia condenatoria contra Leopoldo López y los estudiantes Christian Holdack, Demián Martín y Ángel González. En este sentido, jefes de Estado y de Gobierno, organismos internacionales, expresidentes, parlamentarios, partidos políticos, Premios Nobel, intelectuales y artistas han rechazado categóricamente la sentencia condenatoria impuesta a Leopoldo López y solicitado su liberación inmediata.

Un día después de dictada la condena, el 11 de septiembre de 2015, la ONU lamentó que el Gobierno venezolano hubiese desestimado la opinión del Grupo de Trabajo sobre la Detención Arbitraria, que, en agosto del año anterior, dictaminó sobre la detención en estos términos: «Estamos preocupados por el derecho de López a un juicio justo, dado la información recibida sobre las irregularidades ocurridas durante su proceso, como la falta de evidencias para la acusación, el rechazo de testigos de la defensa, y los comentarios contra él expresados por altas instancias del Gobierno de Venezuela».

Durante el proceso, Amnistía Internacional lo declara prisionero de conciencia, que es todo aquel «encarcelado por sus convicciones políticas, religiosas u otros motivos de conciencia, que no han recurrido a la violencia ni propugnado su uso». «Nunca debió haber sido arrestado arbitrariamente o enjuiciado en primer lugar. Es un prisionero de conciencia y debe ser liberado inmediata e incondicionalmente.» Asimismo, el director para las Américas de Human Rights Watch, José Miguel Vivanco, manifestó que «este caso es una farsa [...]. En un país sin independencia judicial, una jueza provisoria sin inamovilidad en el cargo condena a cuatro personas inocentes luego de un proceso en el cual el Ministerio Público no aportó evidencias que los vinculen con delito alguno, y no se permitió a los acusados ejercer su defensa adecuadamente».

Por su parte, el secretario general de la Organización de los Estados Americanos (OEA), Luis Almagro, declaró: «El respeto a la disidencia es la base fundamental del fortalecimiento de una cultura democrática de libertades civiles y no debe ser sancionada con la privación de la libertad, salvo en casos demostrados de violación del orden constitucional. [...] En el caso de Leopoldo López, por ser él un político procesado bajo un Estado de derecho, la Secretaría General de la OEA cree imperioso que la comunidad internacional tenga acceso a la sentencia por la que se le condenó». La Unión Europea expresó que «los juicios contra el señor Leopoldo López, coordinador nacional del partido Voluntad Popular, y los estudiantes no han proporcionado a los acusados las garantías adecuadas de transparencia y debido proceso legal».

Presidentes, vicepresidentes y expresidentes como Mariano Rajoy, Dan Cameron, Mauricio Macri, Joe Biden, Manuel Valls, Felipe González, Ricardo Lagos, Fernando Cardoso, José María Aznar, Andrés Pastrana, Jorge Quiroga, Laura Chichilla, Óscar Arias, Sebastián Piñera, Felipe Calderón, Vicente Fox y Alejandro Toledo —así como numerosas organizaciones, como la Internacional Socialista— rechazan y deploran la decisión judicial contra Leopoldo López. Numerosos intelectuales han exigido la liberación inmediata de López y del resto de los presos políticos, entre ellos Mario Vargas Llosa, Fernando Savater, Enrique Krause, Rafael Cadenas y Sergio Ramírez.

En mayo de 2015, López, en su convicción por rescatar la democracia, la cual se ha mantenido intacta a pesar de los atropellos, inicia una huelga de hambre de 31 días, conmigo y otros presos políticos, para exigir al régimen fijar las fechas de las elecciones parlamentarias. La huelga de hambre moviliza al país, y se suman más de cien líderes y activistas. El 22 de junio, Tibisay Lucena, presidenta del Consejo Nacional Electoral (CNE), anuncia la fecha y los líderes levantan la huelga.

Estas elecciones son realizadas el 6 de diciembre de 2015 y la oposición venezolana representada por la MUD obtiene un triunfo democrático sin precedentes con la mayoría parlamentaria. El 5 de enero de 2015 se instala la nueva Asamblea Nacional, con representantes de variadas toldas políticas. Los medios de comunicación vuelven a tener acceso al recinto. Los venezolanos piden la liberación de todos los presos de políticos y el retorno de los exiliados. El nuevo presidente de la Asamblea, Henry Ramos Allup, en esta fecha histórica anuncia la Ley de Amnistía y la Reconciliación Nacional.

Leopoldo López, aislado en la cárcel de Ramo Verde, alza su voz firme con fe y esperanza por el cambio; convirtiéndose en la voz de libertad de todos los venezolanos que desean una mejor Venezuela. Ahora es cuando se consolida su lucha y la de millones de venezolanos por reconstruir un país que quiere ser nuevamente libre y democrático.

Caracas, enero de 2016

Leopoldo me saludaba, pude ver su sonrisa y como me saludaban desde lejos. No podía ver bien sus caras, solo sus siluetas, porque mi visión ha estado afectada estos meses y se ha deteriorado mucho. Pero solo con ver la mano de mi hijo saludándome me llené de fuerza, no aguanté las lágrimas y la tristeza de no poder estar con mi familia, pero al mismo tiempo se que estos momentos me fortalecerán a mí y también a mis hijos, a Lilian, a mi familia y a todo nuestro equipo.

Estoy preso, pero soy libre. Así también está Venezuela y todos los Venezolanos. Estamos presos ante la corrupción, la ineficiencia, la represión y la salida antidemocracia, pero somos libres en nuestro potencial de ser libres. El potencial, lo que podemos llegar a ser, la aspiración colectiva, el sueño compartido, la tierra prometida, lo que podemos llegar a ser. Allí en ese ideal es que podemos conseguir la libertad.

Hay conceptos que manejamos con frecuencia sin conocerlos realmente, la libertad es uno de ellos. No es posible comprender a plenitud lo que significa estar libres, y si no sufrimos la carencia de libertad. Se aprecia la libertad mucho más cuando no se tiene que y cuando gozamos de ella.

AGRADECIMIENTOS

A todos quienes hicieron posible la publicación de este libro. A mi amigo, el escritor Francisco Suniaga, quien me entusiasmó desde mis primeros días de encarcelamiento en Ramo Verde a escribir mis notas desde la cárcel. A mi hermana Diana, quien con constancia y paciencia organizó mis cuadernos y notas para poder publicarlas. A Gisela Rojas, quien transcribió cada libreta y palabra que logramos sacar de mi celda. A Zulmaire González y la iniciativa Acción por la Libertad, quienes han documentado la persecución política y la criminalización de la protesta en Venezuela desde comienzos de 2014. A David Pacheco, quien escribió la cronología con gran rigurosidad. A Harrys Salswach, quien colaboró con la edición de los textos. A mi amigo y compañero José Joaquín Da Silva, quien hizo las correcciones finales. Al Grupo Planeta, a la Editorial Península y a la Editorial Libros Marcados por sumarse con enorme compromiso a la causa por la Libertad y la Democracia en Venezuela. A todos, gracias.

CRONOLOGÍA

2014

23 de enero. Leopoldo López, junto con la diputada María Corina Machado y el alcalde metropolitano, Antonio Ledezma, presentan en Caracas «La Salida», una propuesta constitucional para dar soluciones a la crisis que atraviesa Venezuela.

2 de febrero. Los líderes políticos y la sociedad civil celebran asambleas públicas en varias ciudades para discutir las propuestas constitucionales de «La Salida».

4 de febrero. Protestas estudiantiles en la Universidad de Los Andes y en San Cristóbal (estado Táchira). Las fuerzas de seguridad del Gobierno reprimen a los manifestantes y docenas de ellos son encarcelados.

10 de febrero. Leopoldo López y Carlos Vecchio denuncian que se les impidió trasladarse al estado Táchira para participar en una asamblea.

12 de febrero. Día de la Juventud. Diversas organizaciones de estudiantes convocan manifestaciones multitudinarias en varias ciudades del país. En Caracas, los estudiantes, acompañados de Leopoldo López, María Corina Machado, Carlos Vecchio, Antonio Ledezma y Gaby Arellano, entre otros, se concentran en la plaza Venezuela.

Los manifestantes se dirigen pacíficamente a la Fiscalía General de la República y solicitan, sin éxito, entregar un documento a la fiscal Luisa Ortega Díaz.

A las 14:00 h, Leopoldo pide a los manifestantes que se retiren. Algunos jóvenes deciden permanecer en el lugar.

A las 15:13 h, uno de los manifestantes, Bassil Da Costa, es asesinado cerca de la Fiscalía. Más tarde muere Juancho Montoya, miembro de un colectivo oficialista.

Los jóvenes presentes se manifiestan ante la Fiscalía y decenas de ellos, como los estudiantes Marco Coello, Christian Holdack, Ángel González y Demián Martín, son detenidos.

El Gobierno retransmite por la radio y la televisión nacionales los actos del Día de la Juventud. El presidente Nicolás Maduro declara que se está gestando un golpe de Estado en su contra.

A las 20:00 h, López, Machado y Ledezma ofrecen una rueda de prensa denunciando la violencia ejercida por grupos armados y mantienen su llamada a la protesta pacífica y no violenta.

Los jóvenes siguen protestando contra la represión. Roberto José Redman, de treinta y un años, es asesinado en una de las manifestaciones en Caracas.

La jueza 16 de Control, Ralenys Tovar Guillén, dicta orden de captura contra Leopoldo.

15 de febrero. Maduro responsabiliza de los hechos a Leopoldo y al expresidente colombiano Álvaro Uribe.

Varios encapuchados allanan la casa de Leopoldo y la de sus padres. De madrugada, Diosdado Cabello, presidente de la Asamblea Nacional, los visita para convencerlos de que Leopoldo abandone el país.

16 de febrero. Leopoldo, desde la clandestinidad y a través de un video difundido por YouTube, convoca a una concentración pacífica el 18 de febrero para reclamar que se aclaren los hechos del día 12, que se libere a los arrestados y que cese la represión. Además, exige el desarme de los grupos armados.

17 de febrero. Fuerzas armadas del Gobierno allanan la sede del partido Voluntad Popular en Caracas, buscando a Leopoldo y a Carlos Vecchio.

18 de febrero. Miles de ciudadanos vestidos de blanco responden a la convocatoria de Leopoldo y acuden a la plaza Brión, en Caracas. El líder político, acompañado de su esposa, Lilian Tintori, pronuncia un discurso.

Funcionarios de la GNB arrestan a Leopoldo. Posteriormente, es trasladado por Diosdado Cabello al Palacio de Justicia.

A las 23:30 h, Leopoldo es recluido en la prisión militar de Ramo Verde.

19 de febrero. El diario *Últimas Noticias* publica una investigación que demuestra cómo funcionarios policiales del Gobierno asesinaron a Bassil Da Costa y Juan Montoya.

Génesis Carmona resulta gravemente herida en una manifestación contra Nicolás Maduro en la ciudad de Valencia, estado Carabobo, por un grupo de colectivos armados. Falleció al día siguiente.

20 de febrero. Audiencia de presentación de Leopoldo, asistido por el abogado Juan Carlos Gutiérrez y acusado por el fiscal Franklin Nieves. La audiencia se lleva a cabo ilegalmente, de madrugada y dentro de un autobús militar estacionado a las puertas de la prisión de Ramo Verde.

22 de febrero. La estudiante Geraldine Moreno, hija de Rosa Orozco, fallece tras haber sido herida por Guardias Nacionales el 19 de febrero, cuando participaba en una manifestación frente a su residencia, en el estado Carabobo.

27 de febrero. La jueza 16 de Control, Ralenys Tovar Guillén, emite orden de captura contra Carlos Vecchio, uno de los dirigentes de Voluntad Popular.

El Parlamento Europeo pide la retirada de las acusaciones infundadas y las órdenes de detención contra dirigentes de la oposición en Venezuela.

4 de marzo. Óscar Arias Sánchez, Fernando Henrique Cardoso, Ricardo Lagos y Alejandro Toledo, expresidentes de Costa Rica, Brasil, Chile y Perú, respectivamente, firman una declaración conjunta exigiendo la liberación de Leopoldo y de todos los detenidos o perseguidos por razones políticas.

10 de marzo. El Club de Madrid suscribe la declaración de los expresidentes de Costa Rica, Brasil, Chile y Perú. El Fórum 2000, reunido en Praga, considera que el arresto de Leopoldo viola sus derechos.

20 de marzo. El Tribunal 1.º de Control del estado Táchira emite orden de captura contra los alcaldes Daniel Ceballos (San Cristóbal) y Enzo Scarano (Valencia) y el comisario Salvatore Lucchese. Son detenidos por el SEBIN y recluidos en Ramo Verde.

24 de marzo. Se anuncia la destitución de María Corina Machado como diputada de la Asamblea Nacional.

4 de abril. La fiscal general de la República, Luisa Ortega Díaz, anuncia los cargos contra Leopoldo (se descarta la acusación de homicidio y terrorismo).

2 de mayo. El Gobierno sustituye a la jueza Ralenys Tovar Guillén y nombra a Adriana López Orellana (que comparte nombre y apellido con la hermana menor de Leopoldo).

El SEBIN detiene arbitrariamente a jóvenes opositores, entre ellos a Rosmit Mantilla.

28 de mayo. El papa Francisco recibe a Lilian Tintori en el Vaticano.

4 de junio. El dirigente social de Voluntad Popular, Enrique Sierra, y su hermano son detenidos por el SEBIN y llevados a El Helicoide, la sede de ese servicio gubernamental.

5 de junio. Tras diferir la audiencia preliminar en tres ocasiones, la jueza Adriana López admite la acusación del Ministerio Público, ordena el enjuiciamiento de Leopoldo, acepta la mayoría de las pruebas presentadas por la parte acusadora y rechaza las de la defensa.

23 de julio. En el Palacio de Justicia, tomado por los militares y al que no se permite el acceso a periodistas y observadores, comienza el juicio contra Leopoldo y los estudiantes Marco Coello, Christian Holdack, Ángel González y Demián Martín ante el Tribunal 28, a cargo de la jueza Susana Barreiros.

22 de agosto. 63 diputados del Parlamento chileno exigen a la presidenta Michelle Bachelet que actúe ante la situación de Leopoldo y de los demás detenidos.

26 de agosto. El Grupo de Trabajo sobre la Detención Arbitraria (GTDA) de la ONU emite una opinión en la que recomienda la inmediata libertad de Leopoldo López y una declaración pública de desagravio.

21 de septiembre. Tras nueve años de prisión y por razones humanitarias, el comisario Iván Simonovis abandona la cárcel y pasa a permanecer en arresto domiciliario.

23 de septiembre. Barack Obama se pronuncia sobre la detención arbitraria de Leopoldo y tantos otros, pidiendo su liberación.

20 de octubre. El alto comisionado de la ONU para los Derechos Humanos, Zeid Ra'ad Al Hussein, exhorta a las autoridades venezolanas para que liberen inmediatamente a Leopoldo, a Ceballos y a todos los detenidos por ejercer su legítimo derecho a expresarse y protestar pacíficamente.

22 de octubre. El presidente del Gobierno español, Mariano Rajoy, recibe a Lilian Tintori en Madrid y le expresa su preocupación por el juicio de Leopoldo.

6 de noviembre. El Foro Iberoamericano expresa su respaldo a la resolución de la ONU y solicita la liberación de Leopoldo, Ceballos y los demás presos políticos.

15 de noviembre. José Antonio Viera-Gallo y Claudio Herrera, representantes de la Internacional Socialista enviados a Caracas, intentan sin éxito visitar a Leopoldo en Ramo Verde.

28 de noviembre. El Comité contra la Tortura de la ONU se suma a la solicitud de liberación inmediata de Leopoldo, Ceballos y todos los demás presos políticos.

1 de diciembre. Gilberto Sojo, líder social de Voluntad Popular, es detenido arbitrariamente en Caracas y trasladado a la sede del SEBIN.

15 de diciembre. El partido Voluntad Popular es admitido en la Internacional Socialista.

18 de diciembre. El Parlamento Europeo emite una nueva resolución «sobre la persecución de la oposición democrática en Venezuela» y reclama la liberación de Leopoldo.

2015

1 de enero. El vicepresidente de Estados Unidos, Joe Biden, mantiene un breve encuentro con Maduro en Brasilia y le insta a liberar a los presos políticos.

25 de enero. Los expresidentes Andrés Pastrana (Colombia) y Sebastián Piñera (Chile) viajan a Caracas para visitar a Leopoldo López, pero no se les permite entrar en Ramo Verde.

26 de enero. En Caracas, durante un encuentro internacional, los expresidentes Andrés Pastrana, Sebastián Piñera y Felipe Calderón (México) solicitan a Maduro la liberación de los presos políticos y los estudiantes.

30 de enero. Leopoldo López Gil, quien registra en video la audiencia, es expulsado permanentemente del juicio de su hijo por la jueza Barreiros.

9 de febrero. Amnistía Internacional, a través de su secretario general, Salil Shetty, solicita la liberación de Leopoldo y los demás presos políticos venezolanos.

11 de febrero. El vicepresidente de Estados Unidos, Joe Biden, se reúne con Lilian Tintori y con Rosa Orozco y Jonny Montoya, familiares de víctimas de la represión.

12 de febrero. Lilian Tintori denuncia una violenta requisa, por parte de funcionarios encapuchados de la inteligencia militar, en las celdas de Leopoldo y de Daniel Ceballos.

19 de febrero. El alcalde metropolitano de Caracas, Antonio Ledezma, es detenido violentamente en su despacho de la capital por el SEBIN y trasladado a Ramo Verde.

En España, el Partido Popular (PP) y el Partido Socialista Obrero Español (PSOE) solicitan que Leopoldo sea liberado, con motivo de cumplirse un año de su detención arbitraria.

20 de febrero. El expresidente estadounidense Bill Clinton solicita la libertad de Leopoldo y todos los presos políticos.

21 de febrero. La Internacional Socialista señala que Venezuela «ha comenzado a vivir en la arbitrariedad, en la angustia y en una represión solo comparable a los regímenes autoritarios del pasado».

24 de febrero. John Kerry, secretario de Estado del Gobierno estadounidense, solicita a Venezuela que libere a todos los prisioneros políticos.

La Comisión Interamericana de Derechos Humanos (CIDH) manifiesta su profunda preocupación por la situación del Estado de derecho en Venezuela.

6 de marzo. Zeid Ra'ad Al Hussein, alto comisionado de la ONU para los Derechos Humanos, manifiesta ante el Consejo de Derechos Humanos su preocupación por la detención de líderes de la oposición y de manifestantes.

12 de marzo. Juan Méndez, relator sobre la Tortura de la ONU, declara que los presos políticos han sido víctimas de tratos crueles en Ramo Verde y que el Gobierno venezolano ha violado convenios de Derecho Internacional.

24 de marzo. El líder socialdemócrata Felipe González, expresidente del Gobierno español, anuncia su decisión de participar en la defensa de Leopoldo, Daniel Ceballos y Antonio Ledezma.

9 de abril. En el marco de la Cumbre de las Américas, veintiséis expresidentes suscriben la Declaración de Panamá para exigir la inmediata liberación de Leopoldo, Ledezma, Ceballos y todos los presos políticos.

14 de abril. El Congreso de los Diputados español aprueba la declaración que insta a la liberación inmediata de los opositores venezolanos arbitrariamente encarcelados.

Dilma Rousseff, presidenta de Brasil, expresa en una entrevista concedida a la CNN su deseo de que el Gobierno venezolano libere a los opositores.

20 de abril. La Comisión Interamericana de Derechos Humanos (CIDH) dicta medidas cautelares a favor de Leopoldo y de Daniel Ceballos al considerar que sus vidas e integridad corren peligro.

1 de mayo. Tras sufrir una intervención quirúrgica y en un delicado estado de salud, Antonio Ledezma abandona Ramo Verde y pasa a cumplir su condena en arresto domiciliario.

23 de mayo. Leopoldo difunde, desde su celda en Ramo Verde, un video en el cual anuncia que iniciará, junto con Daniel Ceballos, una huelga de hambre.

De madrugada, Ceballos es trasladado a la cárcel común Procesados 26 de Julio, situada en San Juan de los Morros, en el estado Guárico. Mantiene su huelga de hambre.

28 de mayo. Los expresidentes Andrés Pastrana y Jorge Quiroga intentan visitar sin éxito a Antonio Ledezma en su residencia, a Leopoldo en Ramo Verde y a Daniel Ceballos en San Juan de los Morros.

29 de mayo. El parlamentario canadiense Irwin Cotler, que sigue de cerca la huelga de hambre emprendida por Leopoldo, pide al Gobierno de Maduro que permita que el Comité Internacional de la Cruz Roja visite a los presos políticos.

30 de mayo. Lilian Tintori, Patricia de Ceballos y María Corina Machado encabezan concentraciones pacíficas en distintas ciudades de Venezuela pidiendo la fijación de la fecha de las elecciones parlamentarias y el cese de la represión.

3 de junio. Julio Rivas, parlamentario de Juventud Activa por Venezuela, se une junto con otros jóvenes a la huelga de hambre en Caracas.

4 de junio. Martín Paz y Juan García, jóvenes concejales de San Cristóbal (estado Táchira), viajan al Vaticano y se unen a la huelga de hambre a favor de la libertad de los presos políticos.

7 de junio. Felipe González intenta asistir, sin éxito, a la audiencia de Leopoldo en su calidad de consultor de la defensa. Se reúne con líderes de la oposición, pero no lograr ver a los presos políticos.

8 de junio. Diana López y Adriana López Vermut, hermanas de Leopoldo, reúnen más de 43.000 firmas para que la Cruz Roja Internacional pueda visitar a los presos políticos.

10 de junio. Monseñor Diego Padrón, presidente de la Conferencia Episcopal Venezolana, consigue entrar en San Juan de los Morros y verificar el estado de salud de Ceballos.

11 de junio. Dirigentes y concejales de Voluntad Popular se suman a la huelga de hambre en el municipio de Chacao.

Desmond Tutu, Nobel de la Paz, y Ban Ki-moon, secretario general de la Naciones Unidas, expresan su preocupación por la legalidad y condiciones de los presos políticos en Venezuela.

La Conferencia Episcopal Venezolana pide el cese de la huelga de hambre.

13 de junio. Más de cien personas se unen a la huelga de hambre en doce estados del país.

18 de junio. El senador brasileño Aécio Neves y varios diputados son interceptados cerca del aeropuerto internacional de Maiquetía por colectivos armados afines al Gobierno y no logran visitar a los presos políticos.

21 de junio. El cardenal Jorge Urosa, arzobispo de Caracas, envía una carta a Leopoldo en que le pide que preserve su propia vida y suspenda la huelga de hambre.

22 de junio. Tibisay Lucena, presidenta del Consejo Nacional Electoral (CNE) anuncia que las elecciones parlamentarias se celebrarán el 6 de diciembre.

23 de junio. Los activistas finalizan la huelga de hambre tras el anuncio. Lilian Tintori lee el mensaje enviado por Leopoldo: «El cambio ya tiene fecha».

14 de julio. La Contraloría General de la República de Venezuela inhabilita a la exdiputada María Corina Machado.

25 de agosto. La jueza Susana Barreiros da por concluida la etapa de presentación de pruebas en el juicio contra Leopoldo y los estudiantes.

31 de agosto. Comienza la etapa de conclusiones con la intervención de los fiscales del Ministerio Público,

Nardia Sanabria y Franklin Nieves. En su intervención indican que los acusados son culpables.

1 de septiembre. Lilian Tintori se reúne con John Kerry, secretario de Estado de Estados Unidos, para exponerle la situación actual del juicio contra su marido.

3 de septiembre. El estudiante Marco Coello, excarcelado por estrés postraumático con la condición de presentarse cada siete días ante la jueza, huye a Estados Unidos.

10 de septiembre. Tras novecientas horas de juicio, la jueza Susana Barreiros condena a Leopoldo a trece años, nueve meses, siete días y doce horas de prisión. Asimismo, condena a Christian Holdack a diez años de prisión, y a Demián Martín y Ángel González a cuatro años y seis meses con medidas cautelares.

Amnistía Internacional declara prisionero de conciencia a Leopoldo.

11-12 de septiembre. Numerosas organizaciones y personalidades nacionales e internacionales, tanto políticas como culturales, periodistas y medios de comunicación rechazan públicamente la condena.

13 de septiembre. El Movimiento Renovador Sandinista de Nicaragua (MRS) publica una carta abierta dirigida a Leopoldo López en la que le manifiesta su apoyo y solidaridad.

14 de septiembre. Isabel Allende, senadora y presidenta del Partido Socialista de Chile, califica de desproporcionada y decepcionante la condena a Leopoldo López, al que tacha de «preso de conciencia».

15 de septiembre. Eduardo Frei-Ruiz y Ricardo Lagos, expresidentes de Chile, publican en el diario español

El País un artículo, «Saludo a los demócratas de Venezuela», donde rechazan la condena y demandan su liberación.

17 de septiembre. El presidente del Gobierno español, Mariano Rajoy, se reúne con Lilian Tintori en La Moncloa. El expresidente Felipe González comparece en rueda de prensa con Lilian.

19 de septiembre. Concentraciones públicas en diferentes ciudades de Venezuela, y en todo el mundo, en apoyo a Leopoldo y los estudiantes.

25 de septiembre. En su celda de Ramo Verde, Leopoldo escribe el artículo «Aun en prisión, voy a luchar por una Venezuela libre», que es publicado en el periódico *The New York Times*.

29 de septiembre. Los padres de Leopoldo visitan Madrid y lamentan el silencio de algunos líderes latinoamericanos tras la condena de su hijo.

2 de octubre. El abogado defensor de Leopoldo, Juan Carlos Gutiérrez, informa de la publicación de la sentencia condenatoria impuesta por la juez Barreiros. Comienza el plazo de apelación.

14 de octubre. Leopoldo publica su sentencia en las redes sociales.

El papa Francisco recibe a Lilian Tintori y a sus suegros en una audiencia en el Vaticano y expresa su solidaridad con Leopoldo y con su familia.

17 de octubre. Diana López, hermana de Leopoldo, denuncia un intento de secuestro.

25 de octubre. El fiscal del caso, Franklin Nieves, huye de Venezuela y declara que el juicio fue una farsa.

27 de octubre. Maduro asegura que la revolución bolivariana se enfrenta a supuestos planes golpistas antes de las elecciones del 6 de diciembre.

28 de octubre. Los expresidentes Felipe Calderón (México), Laura Chinchilla (Costa Rica), Ricardo Lagos (Chile), Andrés Pastrana (Colombia), Jorge Quiroga (Bolivia) y Alejandro Toledo (Perú) rechazan la sentencia y reclaman observadores internacionales en las elecciones parlamentarias.

5 de noviembre. La experta en lingüística Rosa Amelia Azuaje, principal perito del juicio contra Leopoldo, denuncia presiones y se desmarca de la condena.

10 de noviembre. Los abogados Carlos Vecchio y Juan Carlos Gutiérrez presentan, en nombre del Grupo de Familiares de Víctimas Venezolanas, una solicitud en la Corte Penal Internacional de La Haya para iniciar una investigación contra Maduro y altos funcionarios del Gobierno por crímenes de lesa humanidad.

13 de noviembre. Comienza la campaña electoral para los comicios parlamentarios del 6 de diciembre.

19 de noviembre. La Corte Suprema de Chile ordena al Gobierno de su país que pida a la Comisión de Derechos Humanos de la OEA que visite a Leopoldo López y Daniel Ceballos para conocer su estado de salud.

20 de noviembre. Mientras se traslada al estado Cojedes para un acto de la campaña «Todos por la Libertad», un grupo (colectivo) de un centenar de personas armadas próximas al oficialismo ataca la comitiva de Lilian Tintori, sin víctimas. Leopoldo responde indignado desde la cárcel a través de las redes sociales.

25 de noviembre. Muere tiroteado el secretario general de Acción Democrática del estado de Guárico, Luis

Manuel Díaz, durante un mitin electoral en Altagracia de Orituco en el que también estaba presente Lilian Tintori. La mujer de Leopoldo López denuncia que con esta acción buscaban acabar con ella.

29 de noviembre. Un centenar de escritores, pensadores y artistas españoles y latinoamericanos se adhieren al manifiesto «Intelectuales por la libertad en Venezuela», en el que piden al Gobierno venezolano que acepte el resultado de las inminentes elecciones legislativas, y que se respeten los derechos humanos y la libertad de expresión.

1 de diciembre. Leopoldo López reclama que las autoridades le garanticen que podrá ejercer su derecho al voto en las elecciones del 6 de diciembre.

Cinco dirigentes —el primer ministro de Reino Unido, David Cameron; el presidente del Gobierno español, Mariano Rajoy; el secretario general del Consejo de Europa, Thorbjørn Jagland; el expresidente del Gobierno chileno Ricardo Lagos y el expresidente del Gobierno español Felipe González— firman un artículo, «Venezuela grita libertad» en el que condenan los excesos del Gobierno venezolano con la oposición y piden la liberación de Leopoldo López y el resto de presos políticos.

6 de diciembre. La MUD consigue una clara victoria en las elecciones. El Gobierno tarda dos días en facilitar los resultados definitivos. La sobrerrepresentación en la Asamblea Nacional de ciertas regiones (tradicionalmente afines al chavismo), propiciada por el propio Gobierno, perjudica en esta ocasión a Maduro.

9 de diciembre. El Consejo Nacional Electoral confirma que los dos últimos escaños pendientes de adjudicar por el recuento corresponden a la MUD, con lo que la oposición suma 112 de los 167 de la cámara, frente a los 55 del PSUV. Los dos escaños son cruciales, puesto que con ellos la oposición alcanza los dos tercios del Parlamento y tiene mayores poderes: puede aprobar leyes habilitantes para el Poder Ejecutivo y legislar en materias de economía y seguridad nacional, además de emitir votos de censura contra los integrantes del Gabinete ministerial y el vicepresidente ejecutivo de la República.

11 de diciembre. La Asamblea Nacional, en una de sus últimas sesiones antes de su disolución, nombra Defensora Pública a la jueza Susana Barreiro.

El Consejo de Ministros español otorga la nacionalidad por carta de naturaleza a los padres de Leopoldo López para reforzar las garantías democráticas de la pareja «ante la persecución política y judicial que sufren a consecuencia de la situación de su hijo».

14 de diciembre. El Premio Nobel de Literatura Mario Vargas Llosa escribe un artículo en el que sostiene que, tras las elecciones, «las medidas más urgentes son por supuesto abrir las cárceles a fin de que Leopoldo López, Antonio Ledezma y las decenas de demócratas encarcelados salgan en libertad y puedan trabajar hombro a hombro con sus compatriotas en la democratización de Venezuela y en la recuperación económica de un país tan rico en recursos naturales y humanos».

17 de diciembre. El primer ministro de Francia, Manuel Valls, a través de su cuenta de Twitter, pide la liberación de Leopoldo López.

21 de diciembre. Leopoldo López es elegido Personaje Latinoamericano 2015 por el Grupo de Diarios América (GDA), que considera al dirigente opositor uno de los presos políticos más emblemáticos de la región.

El presidente argentino, Mauricio Macri, solicita la liberación de los presos políticos en Venezuela durante su intervención en la Cumbre de Jefes de Estado del Mercosur, celebrada en Asunción: «En los Estados parte no puede haber lugar a persecución política por motivaciones ideológicas o por pensar distinto», manifestó.

2016

5 de enero. Se constituye la nueva Asamblea Nacional, con mayoría opositora.

Se anuncia el debate de la ley de Amnistía y Reconciliación Nacional.

Este libro se terminó de imprimir
en el mes de Junio de 2016
en los Talleres de Editorial Melvin,
Caracas, Venezuela